Lees ook van Annabel Pitcher:

Mijn zus woont op de schoorsteenmantel

Onder de ketchupwolken

ONDER DE KETCHUP WOLKEN

ANNABEL PITCHER

Vertaald door Ellis Post Uiterweer

© 2012 Annabel Pitcher
Oorspronkelijke titel *Ketchup Clouds*
Nederlandse vertaling © 2014 Ellis Post Uiterweer en
Moon, Amsterdam
Omslagontwerp Leo Nickolls/baqup
Opmaak binnenwerk ZetSpiegel, Best

ISBN 978 90 499 2645 8
ISBN 978 90 499 2648 9 (e-book)
NUR 285/302

www.uitgeverijmoon.nl

Moon is een imprint van Dutch Media Books bv

Voor mijn echtgenoot en beste vriend S.P.,
Met al mijn liefde en hartgrondige dank

Wat was het stom en dom – maar ook o zo leuk!
– Robert Browning, *Confessions*

Fictiepad 1
Bath

1 augustus

Beste meneer S. Harris,

Let alstublieft niet op de rode jam linksboven. Het is jam, geen bloed, hoewel ik niet denk dat ik u het verschil daartussen hoef uit te leggen. Het is niet de jam van uw vrouw die de politie op uw schoen aantrof.

De jam linksboven komt van mijn boterham. Zelfgemaakte frambozenjam. Door mijn oma gemaakt. Ze is al zeven jaar dood, en het laatste wat ze deed was jam maken. Zo'n beetje. Als je niet let op de weken dat ze in het ziekenhuis lag aan van die hartdingen die *pieppiep* doen als je geluk hebt, en *pie-ie-ie-iep* als je pech hebt. Zo klonk het zeven jaar geleden in die ziekenhuiskamer. *Pie-ie-ie-ie-ie-iep*. Mijn zusje werd een halfjaar later geboren en mijn vader vernoemde haar naar oma: Dorothy Constance. Toen mijn vader uit de rouw was, besloot hij die naam korter te maken. Mijn zusje is rond en klein, daarom noemen we haar Dot.

Mijn andere zusje, Soph, is tien. Allebei hebben ze lang blond haar, groene ogen en puntige neusjes, maar Soph is lang en dun en heeft een donkerder huid, alsof Dot uitgerold is en tien minuten in de oven heeft liggen bakken. Ik ben heel anders. Bruin haar. Bruine ogen. Gemiddeld van lengte. Gemiddeld van gewicht. Heel gewoon, eigenlijk. Als je naar me keek, zou je nooit mijn geheim kunnen raden.

Uiteindelijk had ik moeite om de boterham naar binnen te krijgen. De jam was niet bedorven of zoiets, want in een gesteriliseerde pot blijft jam jarenlang goed. Althans, dat zegt mijn vader wanneer mijn moeder haar neus ervoor optrekt. Haar neus is ook puntig. Haar haren hebben dezelfde kleur als die van mijn zusjes, maar het hare is korter en heeft golfjes. Dat van mijn vader is net als het mijne, maar dan met een beetje grijs boven zijn oren, en hij heeft iets wat hetero-chromia heet, en dat betekent dat zijn ene oog bruin is en het andere niet. Als buiten de zon schijnt, is het blauw, maar bij bewolkt weer is het grijs. De hemel in een oogkas, zei ik een keer, en toen kreeg mijn vader kuiltjes precies midden in zijn wangen. Ik weet niet of dit allemaal er iets toe doet, maar ik dacht dat het goed was om u een beeld van mijn familie te geven voordat ik u vertel wat ik te vertellen heb.

Want ik ga het vertellen. Ik zit niet voor de lol in het schuurtje. Het is er hartstikke koud, en mijn moeder zou me vermoorden als ze wist dat ik niet in bed lag, maar het is een goede plek om deze brief te schrijven, verborgen achter een paar bomen. Vraag me niet wat voor soort bomen, maar ze hebben grote bladeren die ruisen in de wind. *Sjwie-iesj.* Eigenlijk klinkt het helemaal niet zo.

Er zit jam aan mijn vingers, daardoor is mijn pen plakkerig. Dat zijn de snorharen van mijn katten vast ook. Lloyd en Webber mauwden alsof ze niet echt konden geloven dat ze zo boften toen er ineens een boterham uit de lucht kwam vallen – die had ik over de heg gegooid. Ik had geen honger meer. Om heel eerlijk te zijn had ik om te beginnen al geen honger, ik maakte die boterham alleen maar om het schrijven van deze brief uit te stellen. Dat bedoel ik niet beledigend, meneer Harris. Het is alleen zo moeilijk. En ik ben moe. Ik heb vanaf 1 mei eigenlijk niet meer echt geslapen.

Er is geen gevaar dat ik hier in slaap sukkel. Een doos vol tegels prikt in mijn benen, en het tocht onder de deur door. Ik moest maar eens opschieten, want ik heb de pech dat de batterijen in mijn zaklantaarn het bijna begeven. Ik hield hem eerst tussen mijn tanden, maar daar gingen mijn kaken pijn van doen, dus nu ligt hij bij een spinnenweb op de vensterbank. Normaal gesproken zit ik niet in het schuurtje, en zeker niet om twee uur 's nachts, maar vannacht is de stem in mijn hoofd een stuk harder dan ooit. De beelden zijn ook echter, en mijn hart gaat verschrikkelijk tekeer; als mijn hart aan zo'n ding in het ziekenhuis zat, zou dat vast kapotgaan van het snelle bonken.

Toen ik uit bed kwam, plakte het bovenstuk van mijn pyjama aan mijn rug, en mijn mond was droger dan een woestijn. Dat was het moment dat ik uw naam en adres in de zak van mijn badjas stopte en op mijn tenen naar buiten sloop, en nu zit ik hier tegenover al dit onbeschreven papier, vastberaden u mijn geheim te vertellen maar niet zeker van hoe ik het onder woorden moet brengen.

Met de mond vol tanden, of met mijn tong in de knoop, maar dan in zo'n ingewikkelde knoop die alleen scouts kennen. Scouts en die man van de tv – u weet wel, die met dat woeste haar die survivalprogramma's maakt en dan midden in het oerwoud in een boom slaapt en voor het ontbijt slangen eet. Nu ik erover nadenk, vermoed ik dat u vast geen flauw benul hebt van waarover ik het heb. Hebt u wel een tv in de dodencel, en kijkt u dan naar onze tv of alleen naar de Amerikaanse?

Vragen stellen heeft waarschijnlijk geen zin. Zelfs als u van plan was terug te schrijven, want het adres bovenaan klopt niet. Er bestaat hier geen Fictiepad, dus, meneer Harris, denk maar niet dat u uit de gevangenis kunt ontsnappen en zomaar hier voor de deur kunt staan omdat u helemaal uit Texas bent komen liften en op zoek bent naar een meisje dat... Nou, laten we maar zeggen dat ik Zoe heet.

Ik heb uw gegevens gevonden op een website over terdoodveroordeelden, en die website heb ik gevonden vanwege een non. Nooit gedacht dat ik ooit zoiets zou schrijven, maar mijn leven verloopt dan ook niet helemaal zoals gedacht. Er was een foto van u waar u vriendelijk op keek voor iemand in een oranje overall met een kaalgeschoren hoofd, een bril met dikke glazen en een litteken over de wang. Uw profiel was niet het eerste dat ik aanklikte. Er zijn honderden criminelen die graag een *penpal* willen. Honderden. Maar u sprong eruit. Al dat gedoe over uw familie die niets meer met u te maken wil hebben, zodat u al elf jaar geen post meer had ontvangen. Al dat gedoe over uw schuldgevoelens.

Niet dat ik in God geloof, maar ik ben wel gaan biechten om van mijn schuldgevoelens af te komen, nadat ik drie keer op Wikipedia had gecontroleerd of de priester echt niks aan de politie mocht verklappen. Maar toen ik in dat hokje zat en het silhouet van de priester door het raster zag, kon ik geen woord meer uitbrengen. Daar stond ik op het punt iets op te biechten aan een man die zijn hele leven nooit iets verkeerds heeft gedaan, afgezien misschien van een extra slokje wijn uit de communiebeker. Tenzij hij zo'n priester was die met kinderen hannest, in welk geval hij alles over zondigen zou weten, maar ik wist dat niet zeker, dus wilde ik liever geen risico lopen.

U bent veel veiliger. En om heel eerlijk te zijn doet u me aan Harry Potter denken. Ik kan me niet herinneren wanneer het eerste deel verscheen, of dat voor of na uw rechtszaak wegens moord was, maar in elk geval, voor als u in de war bent geraakt: Harry Potter heeft een litteken en een bril, en u hebt een litteken en een bril, en hij kreeg ook nooit post. Maar toen kreeg hij ineens een geheimzinnige brief waarin stond dat hij een tovenaar was, en zijn leven veranderde wonderbaarlijk.

Nu leest u dit waarschijnlijk in uw cel en denkt u: krijg ik nou ook te horen dat ik tovenaarskrachten heb? En als ik moet afgaan op de website, stelt u zich vast voor dat u elke steekwond van uw vrouw heelt. Nou, sorry dat ik u teleur moet stellen en zo, maar ik ben een gewoon tienermeisje, geen schoolhoofd van een Hoge-school voor Hekserij en Hocus Pocus. Maar geloof me, als deze pen een toverstok was, dan gaf ik u de tovenarij om uw vrouw weer levend te maken, want dat is iets wat we gemeen hebben.

Ik weet hoe het is.

De mijne was geen vrouw. De mijne was een jongen. En ik heb hem vermoord, drie maanden geleden precies.

Wilt u het ergste weten? Ik kwam ermee weg. Niemand is erachter gekomen dat ik er verantwoordelijk voor ben. Niemand heeft ook maar het flauwste benul, en ik loop vrij rond en zeg de juiste dingen en doe de juiste dingen, maar vanbinnen lijk ik wel te gillen. Ik durf het mijn moeder, mijn vader of mijn zusjes niet te vertellen, want ik wil niet dat mijn familie me niet meer wil kennen en ik wil niet naar de gevangenis, ook al verdien ik het. Dus, meneer Harris, ziet u, ik ben niet zo dapper als u, dus voel u niet al te rot als u de dodelijke injectie moet halen, waar ik me toch geen zorgen over zou maken, want toen mijn hond moest inslapen zag het er alle-maal heel vredig uit. Op de website staat dat u het zichzelf nooit zult vergeven, maar in elk geval weet u nu dat er mensen op de wereld zijn die slechter zijn dan u. U was zo dapper om uw fout op te biechten, maar ik

ben te laf om in een brief te onthullen wie ik in werke-
lijkheid ben.

Dus ja, u mag me Zoe noemen. En laten we net doen
of ik in het westen van Engeland woon, weet ik veel,
ergens in de buurt van Bath. Dat is een oude stad met
oude gebouwen en in het weekend hartstikke veel
toeristen die vanaf de brug foto's maken. Al het andere
wat ik schrijf is helemaal waar.

Van
Zoe

Fictiepad 1
Bath

12 augustus

Beste meneer Harris,

Als u deze envelop hebt geopend, denk ik dat u geïnteresseerd bent in wat ik te zeggen heb. Dat is fijn, maar ik vat het niet te veel als een compliment op omdat, laten we wel wezen, u zich vast suf verveelt in die cel met niks anders te doen dan gedichten schrijven, die overigens erg goed zijn, vooral dat sonnet over dodelijke injecties. Die heb ik op uw profiel gezien, en van dat ene over theater werd ik verdrietig. Ik durf te wedden dat u geen idee had dat toen Dorothy over de gele straatweg liep, u in de volgende achtenveertig uur een moord zou plegen.

Gek dat ik dat allemaal kan schrijven vrijwel zonder dat ik met mijn ogen hoef te knipperen. Het zou anders zijn als ik niet ook een moord had gepleegd. Daarvoor zou ik u nog niet met een stok hebben aangeraakt, maar nu zitten we in hetzelfde schuitje. Precies hetzelfde schuitje. U hebt iemand vermoord van wie u

16

werd verondersteld te houden, en ik heb iemand vermoord van wie ik werd verondersteld te houden, en
allebei begrijpen we de pijn, de angst, het verdriet, de
schuldgevoelens en alle andere honderden gevoelens
die niet eens een naam hebben.

Iedereen denkt dat ik rouw; daarom stellen ze niet te
veel vragen als ze me zien, bleek en mager, met wallen
onder mijn ogen en vette, ongekamde slierten haar.
Laatst dwong mijn moeder me mijn haar te laten
knippen. Bij de kapper keek ik naar de andere klanten
en vroeg me af hoeveel van hen ook een groot geheim
hadden, want de non had gezegd dat niemand perfect is
en dat in iedereen goed en kwaad schuilt. In iedereen.
Zelfs in mensen van wie je niet verwacht dat ze een
duistere kant hebben, zoals Barack Obama of presen-
tatoren van kinderprogramma's. Ik doe mijn best me
dat te herinneren wanneer de schuldgevoelens te erg
worden om te kunnen slapen. Vanavond ging dat niet,
dus hier ben ik weer, en het is nog net zo koud, maar
deze keer heb ik een oud jasje van mijn vader tussen de
kier onder de deur geschoven.

Ik weet niet meer hoe de non heette, maar ze had zo'n
krentengezicht dat je je nog kunt voorstellen als druif
omdat er onder al die rimpels nog iets van schoonheid
school. Een week voor de zomervakantie kwam ze bij
ons op school om iets te vertellen over de doodstraf.
Ze sprak met zo'n zachte, een beetje bibberige stem,
maar ze had iedereens aandacht. Zelfs die van Adam.
Gewoonlijk zit hij op zijn stoel te wippen en gooit hij
pennen naar meisjes, maar op die dag hoefden we geen

capuchon op omdat niemand iets deed wat hij beter niet kon doen, en we keken allemaal met grote ogen naar deze bejaarde vrouw die ons vertelde over haar werk om de doodstraf af te schaffen.

Ze had veel gedaan. Petities opgesteld, artikelen in kranten geschreven en brieven aan criminelen, die hadden teruggeschreven en van alles en nog wat hadden bekend. 'Zoals misdaden en zo?' vroeg iemand. De non knikte. 'Soms. Iedereen verdient het om gehoord te worden.'

En toen kreeg ik het idee, gewoon tijdens de godsdienst-les, terwijl de non nog veel meer vertelde wat ik me niet meer kan herinneren. Zodra ik thuis was, rende ik de trap op naar de studeerkamer, zonder mijn schoenen uit te trekken, al had mijn moeder net beige tapijt laten leggen. Ik zette de computer aan en vond de website *Death Row*, en ik zette een vinkje in het vakje waarbij stond: Ja, ik ben 18. Ondanks mijn leugen bleef de computer het doen, en er ging ook geen alarm af. Ik ging meteen naar de database van criminelen die wilden corresponderen, en daar was u, meneer Harris, de tweede man van links in de derde rij op de vierde pagina, alsof u erop wachtte mijn verhaal te horen.

DEEL I

Het is niet de alleroriginelste titel, maar dit gaat over het ware leven; het is geen fictie, en dat ben ik niet gewend. Meestal schrijf ik fantasy, en in het geval u het zich afvraagt, mijn beste verhaal is *Bizzel het Bazzelbeest*, en dat gaat over een beestje met blauw bont dat in een pot witte bonen met tomatensaus woont, achter in een keukenkastje. Hij woont daar al jaren, maar op een dag heeft een jongetje dat Mod heet (eigenlijk heet hij Dom, maar hij is dol op spiegelbeelden) zin in witte bonen met tomatensaus, dus maakt hij de pot open, laat alles eruit lopen en dan valt Bizzel op een bordje dat in de magnetron kan.

Meneer Harris, ik heb geen flauw benul hoe lang u al gedichten schrijft, maar ik heb al schrijfster willen zijn sinds ik een boek over De Vijf heb gelezen voor mijn allereerste boekverslag op de basisschool. Ik gaf dat boek een 9 omdat er een spannend avontuur in zat en ze op het laatst de schat vonden, maar er zat ook iemand in die George heette en die een soort travestiet was die met haar hond praatte, dus toen ging er een halve ster af omdat het niet realistisch was.

Er schijnen nu een hoop sterren door het raam, en die zijn allemaal heel helder. Misschien geven aliens de Aarde een geweldige beoordeling, en dat toont maar weer eens aan dat ze er niks van weten. Het is buiten heel stil, alsof de wereld de adem inhoudt en wacht totdat ik verderga met het verhaal, en waarschijnlijk zit u ook met ingehouden adem te wachten, dus vooruit dan maar.

Het begon allemaal een jaar geleden met een onver-wacht telefoontje. Vorig jaar augustus had ik een hele week moed verzameld om mijn moeder te vragen of ik zaterdagavond naar een feest mocht. Het was geen gewoon feest; het werd gegeven door Max Morgan, en iedereen was uitgenodigd om te vieren dat de zomer voorbij was en we een paar dagen later weer naar school moesten. Helaas was er minder dan één procent kans dat mijn moeder me liet gaan, omdat ik toen niets van haar mocht, zelfs niet met Lauren in de stad gaan shoppen, omdat ze bang was dat ik zou worden ontvoerd en mijn huiswerk niet zou maken.

We mochten ons thuis niet aan klusjes onttrekken, ook al had mijn moeder haar baan als advocaat opgezegd toen Dot nog klein was. Ze was een ziekelijk kind, aldoor maar ziekenhuis in, ziekenhuis uit, dus was het een heel werk om voor haar te zorgen. Mijn moeder was er wanneer ik wakker werd om te vragen wat ik die dag op school voor les had, en ze was er wanneer ik thuiskwam om mijn huiswerk te controleren. En verder deed ze huishoudelijke klussen. Doordat we in een groot huis woonden, was het lastig om alles brandschoon te houden, maar het lukte mijn moeder dankzij een strak rooster. Wanneer ze naar het journaal keek, vouwde ze ondertussen de was en zocht sokken bij elkaar, en wanneer ze zich in bad zou moeten ontspannen, poetste ze de kraan op met een waslapje om die te laten glanzen. Ze kookte ook veel, altijd met de beste ingrediënten. De eieren moesten vrije uitloop zijn, de groente biologisch, en de koe had in de Hof van Eden moeten grazen, of ergens anders zonder vervuiling en chemicaliën, zodat het vlees niet was aangetast door iets waar we ziek van konden worden.

Meneer Harris, ik hoop dat u het niet erg vindt, maar ik heb uw moeder gegoogeld (zonder succes) om uit te zoeken of ze streng was, u erg uw best op school liet doen, beleefd liet zijn tegen oudere mensen, waarschuwde voor problemen en u uw groente liet opeten. Ik hoop van niet. Het zou zonde zijn als u uw tienerjaren had besteed aan op broccoli kauwen nu u in een cel zit met nauwelijks enige vrijheid. Ik hoop dat u gek deed, zoals in uw blootje door de tuin van de buren rennen omdat iemand u had uitgedaagd, zoals gebeurde op het feestje voor Laurens veertiende verjaardag, nadat ik vroeg naar huis was gegaan. Toen Lauren het me op school vertelde, trok ik een gezicht alsof ik boven zulk onvolwassen gedrag stond. Maar toen de geschiedenisleraar zei dat we moesten ophouden met fluisteren en naar het werkblad kijken, zag ik geen Joden maar op en neer wippende tieten in het maanlicht.

Ik had er schoon genoeg van dat ik alles miste. Ik had er schoon genoeg van om naar hun verhalen te luisteren. En ik was jaloers, echt hartstikke jaloers, dat ik zelf niks te vertellen had. Dus toen ik werd uitgenodigd voor het feest van Max, nam ik me voor mijn moeder om toestemming te vragen op zo'n manier dat ze niet kon weigeren.

Zaterdagochtend lag ik in bed te overdenken hoe ik mijn vraag zou verwoorden voordat ik in de bibliotheek moest beginnen met voor £ 3,50 per uur boeken in de kast te zetten. Dat was het moment dat de telefoon ging. Aan de stem van mijn vader hoorde ik dat er iets ergs was, dus kwam ik uit bed en ging de trap af in mijn ochtendjas, precies dezelfde als die ik nu aanheb, met rode en zwarte bloemetjes en kant bij de mouwen. Even later sprong mijn vader in de BMW, nog voordat hij had ontbeten, en mijn moeder rende achter hem aan met een schort voor en gele huishoudhandschoenen aan haar handen.

'Je hoeft er niet nu meteen heen,' zei ze, en meneer Harris, nu we bij echte gesprekken komen, schrijf ik die maar netjes met aanhalingstekens, want dan is het voor u makkelijker te lezen. Uiteraard herinner ik me niet woordelijk wat iedereen zei, dus parafraseer ik een beetje, en al het saaie laat ik weg, zoals opmerkingen over het weer.

'Wat is er aan de hand?' vroeg ik terwijl ik in het portiek stond met waarschijnlijk een bezorgde uitdrukking op mijn gezicht.

'Eet ten minste eerst een geroosterd boterhammetje, Simon.'

Mijn vader schudde zijn hoofd. 'We moeten nú gaan. We weten niet hoe lang hij nog heeft.'

'We?' vroeg mijn moeder.

'Je gaat toch mee?'

'Even denken...'

'Misschien heeft hij geen even! We moeten nú gaan.'

'Als je vindt dat je moet gaan, hou ik je niet tegen, maar ik blijf hier. Je weet wat ik vind van...'

'Wat is er aan de hand?' vroeg ik weer. Harder, deze keer. En met waarschijnlijk een nog bezorgdere uitdrukking op mijn gezicht. Niet dat het mijn ouders opviel.

Mijn vader wreef over zijn slapen, en zijn vingers maakten rondjes in zijn grijze stukken haar. 'Wat moet ik na al die tijd tegen hem zeggen?'

Mijn moeder trok een gezicht. 'Ik zou het niet weten...'

'Waar hebben jullie het over?' vroeg ik.

'Denk je dat ik zijn kamer in mag?' ging mijn vader door.

'Zo te horen zal hij niet eens weten dat je er bent,' zei mijn moeder.

'Wie niet?' vroeg ik, en ik stapte de oprit op.

'Sloffen!' riep mijn moeder uit.

Ik stapte terug in de portiek en veegde mijn voeten aan de mat. 'Wil iemand me vertellen wat er aan de hand is?'

Er viel een stilte. Die duurde lang.

'Opa,' zei mijn vader.

'Hij heeft een beroerte gehad,' zei mijn moeder.

'O,' zei ik.

Dat was misschien geen heel meelevende reactie, maar ter verdediging van mezelf moet ik even vertellen dat ik mijn opa al in geen jaren had gezien. Ik weet nog dat ik jaloers was vanwege de ouwel die mijn vader tijdens communie kreeg, en dat mijn moeder ons tegenhield toen wij ook naar het altaar wilden van opa's kerk. En ik weet ook nog dat ik speelde met het Liedboek en probeerde dat dicht te klappen met Sophs vinger ertussen, terwijl ik het thema van *Jaws* neuriede en opa fronsend toekeek. Hij had een grote tuin met enorme zonnebloemen erin, en op een keer maakte ik een geheim clubhuis in de garage en kreeg ik een flesje flauwe limonade van hem om voor te zetten aan mijn poppen. Maar op een dag was er ruzie en gingen we nooit meer bij hem op bezoek, en ik weet niet wat er was gebeurd, maar ik weet nog wel dat we weggingen bij opa nog voordat we middageten hadden gehad. Mijn maag knorde zo dat we bij McDonald's mochten eten en mijn moeder was zo van streek dat ze me niet tegenhield toen ik een Big Mac en een grote friet bestelde.

'Blijf je echt hier?' vroeg mijn vader.

Mijn moeder friemelde aan haar gele handschoenen. 'Wie moet er anders op de meisjes passen?'

'Ik!' zei ik ineens, want ik had iets bedacht. 'Dat kan ik best.'

Fronsend keek mam me aan. 'Ik denk van niet.'

'Ze is oud genoeg,' zei pap.

'Maar wat nou als er iets gebeurt?'

Mijn vader hief zijn mobiel. 'Dan heb ik deze.'

'Ik weet het niet...' Mam beet op haar wang en staarde me aan. 'En je werk in de bieb dan?'

Ik haalde mijn schouders op. 'Ik bel wel op en zeg dat er thuis een noodsituatie is.'

'Zie je wel?' zei pap. 'Voor de bakker.'

Er ging een vogel op de motorkap zitten. Een zanglijster. Even bleven we ernaar kijken, omdat er een worm uit zijn snavel bungelde, en toen keek pap mam aan en mam keek pap aan en de vogel fladderde weg terwijl ik mijn vingers gekruist op mijn rug hield.

'Hoor eens, ik geloof dat ik beter bij de meisjes kan blijven,' mompelde mam, maar niet erg overtuigd. 'Soph moet toonladders oefenen op de piano, en ik zou Dot wel willen helpen met haar...'

'Gebruik ze niet als smoes, Jane!' zei mijn vader, en hij sloeg met zijn vuist op zijn bovenbeen. 'Het is over-duidelijk dat je niet mee wilt. Erken dat dan tenminste!'

'Goed. Maar dan moet jij erkennen dat je vader me er niet bij wil hebben, Simon.'

'Hij zal niet eens weten dat je er bent!' reageerde pap, en hij keek mam strak in de ogen. Het was slim van hem om te zeggen wat zij had gezegd, en dat besefte ze. Met een verslagen zucht liep ze terug naar huis en trok de handschoenen uit.

'Jij je zin, maar laat ik je dit zeggen: ik kom niet in de buurt van zijn kamer,' zei ze nog voordat ze door de voordeur verdween.

Mijn vader keek knarsetandend op zijn horloge. Met nog steeds mijn gekruiste vingers op mijn rug liep ik naar de auto.

'Denk je dat jullie een hele poos in het ziekenhuis blijven?'

Mijn vader krabde in zijn nek en zuchtte eens. 'Waarschijnlijk wel.'

Ik glimlachte op mijn allerbehulpzaamst. 'Nou, maak je over ons niet druk. Wij redden ons wel.'

'Dank je wel, lieverd.'

'En als jullie niet op tijd terug zijn, ga ik niet naar het feest. Dat maakt me niet uit. Lauren zal teleurgesteld zijn, maar ze komt er vast wel overheen.' Dat zei ik zomaar, heel spontaan, om pap te laten denken dat mam al toestemming had gegeven. Hij drukte op de toeter en riep dat ze moest opschieten.

'Wanneer begint dat feest?'

'Om acht uur,' antwoordde ik, en mijn stem klonk misschien ietsje hoger dan normaal.

'Dan zijn we wel terug. Althans, dat hoop ik. Ik breng je wel, als je wilt.'

'Graag,' zei ik, en ik probeerde niet breed te grijnzen toen ik terugrende naar binnen.

Die middag belde mam om te laten weten dat opa's toestand stabiel was. Met een zachte ziekenhuisstem zei ze dat pap er goed mee omging, en kon ik de biefstuk uit de diepvries halen voor het eten, en ik glimlachte omdat ik heel graag biefstuk eet. Alles ging op rolletjes, dus maakte ik limonade voor mezelf van een sinaasappel en ijsblokjes, die tegen het glas tinkelden. De rest van de dag ging ik in de zon in de tuin schrijven aan *Bizzel het Bazzelbeest*, en deed ik pitjes in het voerbakje voor vogels dat aan een tak van de boom bij de achterdeur hing. De vogels vlogen eropaf – een ekster waar ik dag tegen zei, een vink die op de grond neerkwam, en een zwaluw die over het bloemperk scheerde – en ik bleef eeuwen naar ze kijken, belachelijk gelukkig, want vogels zijn helemaal mijn ding, en ik wil niet opscheppen, maar ik weet ongeveer elke soort die in Engeland voorkomt.

In de tuin groeiden honderden paardenbloemen, en daar heb ik er eentje van getekend voor het geval er waar u woont ander onkruid is, of misschien helemaal geen. Ik stel me Texas voor als heel droog, misschien wel als een woestijn met fata morgana's, en ik durf te wedden dat u allemaal goudkleurig zand door het raam ziet, en meneer Harris, dat is vast een kwelling, tenzij u niet van het strand houdt.

Ik plukte een dikke paardenbloem en draaide die om
en om terwijl ik me in het gras liet ploffen en mijn
voeten op een bloempot legde. De zon aan de hemel
had precies dezelfde kleur als de bloem tussen mijn
vingers, en als schakel tussen die twee was er een
warme straal geel. Er bestond een band tussen ze, en ja,
waarschijnlijk kwam het doordat mijn knokkels begonnen te verbranden, maar heel even leek het of het
universum en ik waren verbonden via zo'n verbind-de-
stippen-spelletje. Alles had betekenis, alles was
begrijpelijk, alsof iemand echt mijn leven van punt
naar punt aan het tekenen was.

Iemand anders dan mijn kleine zusje.
    'Vind je het mooi?'
    Dot stond naast me, in een roze jurkje en met een spel-
letjesboek onder haar arm, en ze gebruikte gebarentaal,
omdat ze doof is. Ik tuurde naar de tekening. Ze had de
punten in de verkeerde volgorde met elkaar verbonden,
zodat de vlinder die hoog had moeten opstijgen er eerder uitzag of hij tegen de bomen zou botsen. Ik stak de
paardenbloem achter mijn oor.
    'Ik vind het geweldig.'
    'Geweldiger dan chocola?'
    'Nog veel geweldiger,' gebaarde ik.
    'Geweldiger dan een ijsje?'
    Ik deed alsof ik diep nadacht. 'Nou, dat hangt van de
smaak af.'
    Dot ging op haar mollige knietjes zitten. 'Aardbei?'
    'Zeker geweldiger dan aardbei.'
    'Banaan?'
    Ik schudde mijn hoofd. 'Nee.'

Giechelend boog Dot zich naar me toe. 'Echt niet geweldiger dan banaan?'

Ik gaf haar een kus op haar neus. 'Geweldiger dan welke smaak ook.'

Dot gooide het spelletjesboek in het gras en strekte zich naast me uit, waarbij haar lange haar bewoog in de wind.

'Je hebt een paardenbloem achter je oor.'

'Weet ik.'

'Waarom?'

'Omdat het mijn lievelingsbloem is.'

'Lievelinger nog dan narcissen?'

'Meer lieveling dan welke bloemen ter wereld ook,' gebaarde ik, en ik kapte de vragenstellerij af toen de voordeur openging en er voetstappen in de gang klonken. Ik ging rechtop zitten om te luisteren. Dot keek me in de war gebracht aan. 'Mam en pap,' legde ik uit.

Dot sprong op, maar iets in de stemmen van mijn ouders maakte dat ik haar hand pakte om te voorkomen dat ze de keuken in rende. Mijn ouders hadden ruzie, dat hoorde ik aan hun stemmen, die door het open raam kwamen. Voordat ze de kans kregen om te beseffen dat ik daar was, dook ik weg achter een struik, en ik sleurde Dot met me mee. Ze lachte omdat ze dacht dat het een spelletje was, en ik tuurde door de bladeren.

Mam zette met een klap een mok op het aanrecht. 'Dat je daarin hebt toegestemd!'

'Wat kon ik anders?'

Ze zette de waterkoker aan. 'Praat erover! Overleg met mij!'

'Hoe zou ik dat hebben moeten doen als je er niet bij was in de ziekenhuiskamer?'

'Dat is geen excuus.'

'Hij is hun grootvader, Jane. Hij heeft er recht op ze te zien.'

'Kom daar nou niet mee aan! Ze hebben al jaren niks meer met hem te maken gehad.'

'Des te meer reden om bij hem te zijn, voordat het te laat is.'

Ik zag mam haar ogen ten hemel slaan, en ik deed mijn best Dot in mijn greep te houden, want ze kronkelde erg om zich los te rukken. Ik legde mijn hand op haar mond en trok een sst-gezicht met heel strenge wenkbrauwen. In de keuken pakte mam een theelepel uit de la en schoof de la hard dicht met haar heup.

'Jaren geleden hebben we dat besluit genomen. Járen geleden. Ik ga niet terugkrabbelen alleen maar omdat je vader nu een beetje...'

'Hij heeft een beroerte gehad!'

Mam mikte de theelepel in de mok. 'Dat verandert niets! Helemaal niets! Aan wiens kant sta je eigenlijk?'

'Ik wil niet dat er kanten zijn, Jane. Niet meer. We zijn familie.'

'Vertel dat maar aan je...' begon mam, maar net op dat moment beet Dot in mijn vinger en rukte zich los, en ik kon daar niets meer aan veranderen. Zo snel ze kon rende ze weg en deed twee radslagen op het gazon. Haar jurk viel om haar schouders, zodat haar onderbroek te zien was, en toen kwam ze in een hoopje neer in het gras. Terwijl mam en pap uit het raam keken, plukte Dot een paardenbloem. Alleen was deze wit. Een pluizenbol. Vol met van die fladderdingetjes die eruitzien als dode elfjes. De zon verdween achter een wolk, en Dot blies heel hard en de paardenbloem verdween ook, en meneer Harris, nu hou ik op met schrijven omdat ik moe ben en mijn linkerbeen slaapt.

Van
Zoe

Fictiepad 1
Bath

2 september

Beste meneer Harris,

Het fijnste aan dit schuurtje is absoluut dat er geen ogen
zijn. Er zijn helemaal geen ogen, behalve de acht van de
spin, en die kijken niet naar me. De spin zit in het web
op de vensterbank door het glas te staren naar het silhouet van de boom, de wolk en de halve maan, die
zilverkleurig wordt weerspiegeld in haar ogen terwijl
ze denkt aan vliegen of zoiets.

Morgen zal het anders zijn. Dan zijn er weer ogen. Ver-
drietige en nieuwsgierige, sommige die staren en andere
die proberen niet te kijken maar dat toch steeds doen
wanneer ik de school in ga om aan het nieuwe trimester
te beginnen. Er zal geen plek zijn om me te verstoppen,
ook niet in de toiletten, als u daar soms aan dacht, want het
vorige trimester stonden een paar meisje te wachten totdat
ik uit een wc-hokje kwam en toen vielen ze me aan met
vragen over wat en wanneer en waar en hoe, maar niet
wie, omdat ze allemaal op zijn begrafenis waren geweest.

Vragen vragen vragen vragen, steeds harder, en ik wist niet wat ik moest zeggen. Ik begon verdacht te lijken, dus moest ik echt iets zeggen, maar mijn stem deed het niet. Het zweet liep over mijn rug, en mijn ruggengraat was een heet wit bot dat brandde van mijn billen tot mijn brein. Ik draaide de kraan zo ver mogelijk open. Het water spoelde over mijn handen terwijl ik de schuld probeerde weg te wassen. Ik boende ze steeds steviger en ik haalde steeds sneller adem en de meisjes drongen steeds dichter op, en ik kon het niet langer verdragen, dus zette ik het op een lopen. Ik stormde de deur door en botste tegen de lerares Engels op, die één blik op mijn gezicht wierp en me meetrok haar kantoortje in.

Aan de muur hing een poster van Lady Macbeth met het citaat: WEG, GEVLOEKTE VLEK en meneer Harris, ik weet niet of u bekend bent met Shakespeare, maar voor het geval u het zich afvraagt, Lady Macbeth was niet aan het jammeren over een vlekje op haar kin. Ik staarde naar Lady Macbeths bloederige handen terwijl mijn eigen handen trilden. Mevrouw Macklin zei troostend: 'Toe maar, maak je geen zorgen, er is geen haast, neem er de tijd voor', en ik vroeg me af of ze dat echt meende en of ik tot het eind van het trimester aan haar bureau mocht zitten met de stapel schriftelijke overhoringen die ze moest nakijken. Ik vond het vreselijk dat ze zo lief deed, ze streek over mijn arm en zei dat ik moest dooradémen, en ze zei dat het zo goed met me ging en dat ik zo dapper was en dat het haar speet, alsof het haar schuld was en niet de mijne dat zijn lichaam in een doodskist lag.

Dat is het moeilijkste: weten dat hij onder de grond ligt, met zijn ogen wijd open. Bruine ogen die ik zo goed ken, en die staren naar boven, naar de wereld die ze niet meer kunnen zien. Zijn mond staat ook open, alsof hij de waarheid uitschreeuwt, maar niemand het kan horen. Soms zie ik zelfs zijn nagels, bloedend en gescheurd omdat hij woorden in het deksel van de doodskist krabt, een lange verklaring van wat er op 1 mei is gebeurd, terwijl hij twee meter onder de grond ligt, zodat niemand het ooit zal lezen.

Maar misschien helpen deze brieven, meneer Harris. Misschien, als ik u steeds meer vertel, verdwijnt het verhaal in de doodskist steeds meer, totdat het voorgoed weg is. Zijn vingernagels zullen helen, hij zal zijn handen gekruist over zijn borst leggen en eindelijk zijn ogen sluiten, en dan komen de wormen zijn vlees eten, maar dat zal een opluchting zijn en zijn geraamte zal glimlachen.

DEEL II

In elk geval kan ik beter doorgaan met u vertellen wat er vorig jaar is gebeurd nadat mam en pap die ruzie over opa hadden. Ze deden hun best gewoon te doen na de ruzie, maar de spanning was om te snijden, en dat zou waarschijnlijk makkelijker zijn geweest dan het snijden van de biefstuk op mijn bord. Mijn moeder liet me normaal gesproken niet spelen met het eten, maar alles had veel te lang gekookt of gebakken. Ik hoop dat dit niet ondankbaar klinkt. U bent vast kotsmisselijk van het eten in de gevangenis, dat ik me voorstel als de dunne pap zoals in de musical *Oliver*. Ik durf te wedden dat de bewakers voor de cel pizza eten, zo dichtbij dat u het kunt ruiken en dat het water u in de mond loopt, en het moeite kost niet luidkeels 'Food, Glorious Food' te gaan zingen.

Als het een troost is: het eten dat mam die avond maakte was helemaal niet *glorious* en na vijf minuten hield ik de biefstuk wel voor gezien.

'Waarom heb ik opa nooit gezien?' gebaarde Dot opeens.

Mijn vader pakte zijn wijnglas op, maar hij nam geen slokje.

'Je hébt hem gezien, lieverd,' gebaarde mam. 'Dat weet je alleen niet meer.'

'Vond ik hem aardig?'

'Je... Nou ja, je was te jong voor een mening,' antwoordde mam.

'Komt het goed met hem?'

'Dat hopen we. Maar nu gaat het niet zo goed met hem.'

'Is hij morgen weer beter? Of overmorgen? Of de dag daarna?'

'Stel niet zulke stomme vragen,' mopperde Soph. Dot keek haar met een lege blik aan, want liplezen vindt ze nog moeilijk. 'Stel niet zulke stomme vragen,' herhaalde Soph, en ze bewoog haar lippen expres extra snel.

'Sophie...' zei mam waarschuwend.

'Het komt helemaal goed met opa, schat,' gebaarde pap. Dat ging langzaam en onhandig. 'Hij ligt in stabiele toestand in het ziekenhuis.'

Mam sloeg haar arm om Dots schouders en stak haar neus even in haar haren. 'Maak je niet druk.'

'Ik maak me ook zorgen,' kondigde Soph ineens aan. 'Stel dat hij dóódgaat of zo.'

Mijn vader zuchtte diep. 'Niet zo theatraal.'

Ik keek op de staande klok. Over drie kwartier zou het feest beginnen. Ik ging fluiten. Normaal gesproken floot ik nooit. Mam keek me achterdochtig aan toen ik met mijn blote voeten op de koude tegelvloer mijn bord naar het aanrecht bracht.

'Waar ga jij naartoe?' vroeg ze.

Ik durfde haar niet aan te kijken. 'Ik ga me klaarmaken.'

'Voor wat?'

Ik liet mijn mes en vork in het water in de gootsteen vallen en staarde naar het schuim. 'Voor het feest bij Max.'

'Wat voor feest?' vroeg mam. 'Zoe, wat voor feest?'

Met een ruk draaide ik me om. 'Pap zei dat ik mocht.'

Mam keek pap kwaad aan, terwijl hij zijn vinger door een klodder ketchup op zijn bord haalde en die vervolgens schoonlikte. 'Nou ja, ze is de hele dag lief geweest.' Dat was meer dan waarop ik had kunnen hopen. Ik moest de neiging bedwingen op hem af te rennen om hem te zoenen.

'Was je nog van plan het me te vertellen, Simon?'

'Ik hoef niet elke beslissing met jou door te nemen.'

'O, dus zo gaat het voortaan, hè?' zei mam nijdig. 'Jij beslist alles, jij neemt belachelijke besluiten die het hele gezin aangaan, zonder in overweging te nemen dat...'

Pap bloosde kwaad. 'Niet weer beginnen, Jane. Niet waar de meisjes bij zijn.'

Mijn moeder ademde lawaaiig in, maar ze liet het onderwerp rusten. Ik schuifelde naar de keukendeur net toen
Dot een sperzieboon oppakte en die als een speer terugwierp op haar bord.

'Olympisch goud!' gebaarde ze. 'Voor kogelstoten!' Ze
gooide een worteltje. Dat ketste af op Sophs elleboog en
kwam neer bij het zoutvaatje.

'Mam, zeg jij eens iets?' klaagde Soph.

'Hou op, meiden,' snauwde pap.

'Waarom krijg ík nou weer op mijn kop?' vroeg Soph
kwaad.

'Laat maar, Soph,' zei mam.

'Het is niet eerlijk!' riep Soph uit, en ze stak haar hand
omhoog en raakte per ongeluk een glas. Dat vloog over
de tafel en het bramensap vormde een grote plas. Pap
vloekte en mam stond op om de theedoek te pakken.

'Mag ik?' vroeg ik.

'Nee!' zei mam.

'Ja!' zei pap tegelijkertijd.

Woedend keken ze elkaar aan, terwijl het bramensap
op de vloer drupte.

'Oké!' snauwde mam. 'Maar ik kom je om elf uur
halen.'

Voordat mam van gedachten kon veranderen stormde ik
de keuken uit en rende ik met twee treden tegelijk de
trap op naar mijn kamer. Die was uiteraard netjes, want
dat moest van mam; mijn kleren hingen keurig in de
kast en mijn paarse dekbed lag recht. De bijpassende
paarse lamp stond precies in het midden van mijn
nachtkastje, en op de plank boven het hoofdeinde lagen
mijn boeken op stapeltjes met alle titels dezelfde kant

op. Alleen mijn bureautje was rommelig met bladzijden *Bizzel het Bazzelbeest* erop, op mijn memobord memobriefjes geplakt met dingen over de personages en het verhaal in balpen erop gekrabbeld.

Ik had me nog nooit zo snel klaargemaakt, met een zwarte spijkerbroek en een topje. Eigenlijk zou ik mijn haar hebben moeten wassen, maar meneer Harris, daar was echt geen tijd voor, dus maakte ik maar een rommelig staartje en deed oorringen in, niets ingewikkelds of meisjesachtigs, gewoon zilverkleurige ringen. Voordat ik mijn kamer uit rende, deed ik nog platte schoenen aan en sprong toen in paps auto.

We hoorden het huis nog voordat we het zagen, met al die muziek en al die zware bassen. Pap stopte bij een rijtje rijtjeshuizen. Ze waren eenvoudig en klein, een beetje zoals Dot een huis zou tekenen als ik haar een potlood en een velletje papier zou geven. Twee ramen boven. Twee ramen beneden. Een voordeur in het midden, en een lange, smalle tuin met een boom, een terrasje en een lapje gras.

In de verte deinden ballonnen in de vorm van bierflesjes, met zilverkleurige touwtjes vastgemaakt aan het tuinhek aan het eind van de rij. Ik stapte uit, met mijn gezicht waarschijnlijk heel roze en mijn mond kurkdroog, want ik herinner me dat ik moeite had met slikken zo zonder spuug.

'Braaf zijn, hè?' zei mijn vader toen hij de ballonnen zag. 'Meer dramatische voorvallen kan ik vandaag niet meer hebben.'

Hij klonk erg vermoeid, dus stak ik mijn hoofd weer naar binnen. 'Gaat het wel?'

Hij geeuwde. Even zag ik zijn vullingen. 'Komt wel goed.'

'Opa wordt heus wel beter, dat weet ik gewoon,' zei ik, al was dat onzin, maar ik wilde naar het feest. Pap keek uit het raampje zonder het groepje meisjes te zien dat langsliep in jurkjes en op hoge hakken. Heel hoge hakken, en opeens vroeg ik me af of ik er niet belachelijk uitzag op mijn platte schoenen en met een spijkerbroek aan.

'Hij leek zo... Ik weet het niet. Oud, denk ik.'

Ik keek naar mijn voeten en deed mijn best ze met andermans ogen te zien. 'Hij ís ook oud, pap.'

'Vroeger liep hij de marathon.'

Verrast keek ik op. 'Echt?'

'O, ja. Hij was heel fit. Een keer liep hij hem in net iets meer dan drie uur.'

'Is dat goed?'

Mijn vader glimlachte verdrietig. 'Dat is heel erg goed, schat. En hij kon ook dansen. Je oma ook. Ze waren me een stel...'

In het huis klonk de muziek nog harder. Iedereen kwam eropaf: een stel dat hand in hand liep, jongens in geruite hemden en een meisje van een klas hoger in een jurkje met stippen. Mijn benen jeukten. Pap was in gedachten verzonken, maar het feest was hier en nu, en ik wilde niet onbeleefd zijn, maar de tijd tikte weg, *tik-tik-tik*. Toen er genoeg tijd voorbij was getikt, leunde ik verder de auto in en gaf hem een zoen op zijn wang; daarna ging ik op pad, terwijl ik me afvroeg welke muziek opa leuk had gevonden en hoe hij eruit had gezien als hij danste met een lichaam zo jong als het mijne.

Omdat ik het kon, omdat ik niet stram was of broos of na een beroerte in het ziekenhuis lag, zette ik er vaart achter, dankbaar dat mijn ledematen en gewrichten het deden en ik niet oud was. Zodra ik bij het juiste huis was, klopte mijn hart heel snel. De voordeur stond open en mensen liepen naar binnen. Bij het hekje bleef ik even staan om de ballonnen opzij te meppen en alles eens goed in me op te nemen. Eerlijk waar, het zag eruit als een heel nieuwe wereld en niet gewoon als een gang met een oud blauw tapijt op de vloer. Er fladderde iets in mijn buik, de adrenaline stroomde prikkelend door mijn aderen, en ik voelde me jong, meneer Harris, echt heel erg jong op een soort fijne manier. Ik genoot van het moment en snelde toen over het tuinpad, waarbij ik de spleten tussen de tegels vermeed.

'Steek je over stenen een snelstromende rivier over? Of doe je de hordeloop op de Olympische Spelen?' Een jongen die ik niet kende zat op een bankje in de tuin naar me te kijken. Bruine ogen. Warrig blond haar dat oogde alsof het nog nooit was gekamd. Best lang. Mager. Pezige armen over elkaar geslagen. 'Waar dacht je aan?' vroeg hij over de muziek heen, en hij wees naar de spleten.

Ik haalde mijn schouders op. 'Aan niks. Ik ben bijgelovig. Als je op de spleet stapt, brengt dat ongeluk. Toch?'

De jongen keek weg. 'Teleurstellend.'

'Teleurstellend?'

'Ik dacht dat het een spelletje was.'

'Ik kan best een spelletje spelen als je een spelletje wilt spelen,' reageerde ik. Mijn stem verraste me. Vol zelfvertrouwen. Zelfs een beetje flirterig. Een gloednieuw geluid.

Nu weer geïnteresseerd keek de jongen naar mij. 'Oké... Ik heb een vraag voor je. Als de spleten gevaarlijk waren, wat waren ze dan?'

Even dacht ik na, terwijl drie meisjes wankelend naar het feest kwamen en spottend mijn outfit bekeken. 'Muizenvallen,' antwoordde ik terwijl ik mijn best deed geen acht op de meisjes te slaan.

'Muizenvallen? Je kunt alles ter wereld bedenken, en jij denkt aan muizenvallen?'

'Ja, nou ja...'

'Niet aan krokodillen of aan diepe, donkere gaten met slangen op de bodem. Muizenvalletjes met stukjes kaas op dat klapding.'

Ik kwam een stap dichterbij, en nog eentje, want dit vond ik leuk. 'Wie zei: kleine muizenvalletjes?' Ik stak de neus van mijn schoen in een spleet. 'Misschien zijn het wel reuzengrote muizenvallen met giftige kaas en klapdingen die mijn schoen kapotscheuren.'

'Ja?'

Ik aarzelde. Toen lachte ik. 'Nee. Het zijn kleine muizenvalletjes met stukjes kaas op het klapding.'

Boven ons hoofd vloog iets in een boom en oehoede.

'Een uil!' riep ik uit.

De jongen schudde zijn hoofd. 'Daar ga je weer...'

'Daar ga ik weer wat?'

Met een zucht stond hij op. Zijn schouders waren zo

breed alsof hij het gewicht van de wereld kon dragen, of in elk geval mij. Hij droeg een verbleekte spijkerbroek en een zwart t-shirt dat op de verkeerde plekken lubberde. Hij had nog minder moeite gedaan dan ik. Opeens leken mijn platte schoenen boven de grond te zweven.

'Kun je de vogel zien?' vroeg hij, en met een hand boven zijn ogen tuurde hij in de boom.

'Nee, maar...'

'Hoe weet je dan dat het een uil is? Het zou net zo goed een spook kunnen zijn.'

'Het is geen spook.'

De jongen kwam dichterbij staan, en de adem stokte in mijn keel. 'Maar hoe weet je dat? Het kan een geest zijn die...'

'Ik weet dat het een uil is, aan zijn roep,' viel ik hem in de rede. De vogel riep weer, alsof hij me had gehoord. Ik stak mijn vinger op. 'Hoor je wel? Dat is de roep van een uiltje. De roep in de paartijd.'

De jongen trok zijn wenkbrauwen op. Ik had hem verrast. 'De roep in de paartijd, hè?' Er blonken pretlichtjes in zijn ogen, en ik kreeg een triomfantelijk gevoel. 'Vertel eens wat meer over dit amoureuze uiltje.'

'Nou, in Groot-Brittannië komt het veel voor. En het heeft veren. Uiteraard. Maar die zijn prachtig gespikkeld, bruin en wit. Het heeft een grote kop, lange poten en gelige ogen,' ging ik verder. Ik zat er helemaal in. 'En het vliegt een beetje springerig en golvend, net als een specht, en...' De jongen barstte in lachen uit. En toen moest ik ook lachen. En riep de uil weer, alsof die ook ging lachen.

'Hoe heet je?' vroeg hij, en ik wilde dat net zeggen toen het hekje piepte en er hoge hakken op het tuinpad klonken.

'Verdomme, hé, je bent er echt!' gilde Lauren. 'Kom op, we gaan iets drinken!' Voordat ik kon weigeren, had ze mijn hand al gepakt en trok me mee naar het huis, en ze struikelde bijna over een spleet.

'Pas op voor de krokodillen,' zei ik. Uit mijn ooghoek zag ik de jongen grijnzen. Lauren bleef in verwarring gebracht staan.

'Hè?' vroeg ze.

'Laat maar,' mompelde ik, en toen moest ik ook grijnzen.

De woonkamer was klein, met een verkleurd rood tapijt en een bank die opzij was geschoven om plaats te maken voor het dansen. Lauren trok gauw haar jas uit en ging dansen, helemaal *woeoeoe* en met haar armen hoog in de lucht. Terwijl ze ronddraaide in het midden van de kamer pakte ik een glas van de dranktafel en schonk mezelf limonade in. En na een korte pauze goot ik er wodka bij. Ik roerde met mijn vinger, de muziek dreunde in mijn oren en stroomde met mijn bloed mee door mijn organen. *La la la la la*, mijn hart zong zomaar. Ik dronk in één slok mijn glas leeg, terwijl de mensen tussen de bank en de schoorsteenmantel zwierden alsof ze in een nachtclub waren in plaats van in een woonkamer, en om eerlijk te zijn zagen ze er belachelijk uit, zo tegen elkaar aan gedrukt op het tapijt.

En toen was hij er ineens, tegen de deurpost geleund en geamuseerd kijkend. Hij ving mijn blik op, of misschien ving ik de zijne op, of misschien vingen ze elkaar tegelijkertijd. Terwijl iedereen danste, schudde hij zijn hoofd en ik richtte mijn blik hemelwaarts, en we wisten allebei wat de ander dacht, meneer Harris, stel u maar voor dat onze hoofden met telefoonkabels met elkaar waren verbonden. De jongen kwam niet naar mij toe en ik ging niet naar hem toe, maar de kabel tussen onze hoofden ging van *zzzzoem*.

Iemand met rood haar stond opeens in de weg, maar de jongen bleef steeds naar me kijken alsof ik een eerste, een tweede en een honderdste blik waard was. Mijn lichaam voelde heel anders onder zijn blik. Niet gewoon maar armen, benen en organen. Huid, lippen en rondingen. Ik schonk mezelf nog een drankje in terwijl de jongen met een vriend praatte. Mijn handen trilden met het koude glas erin. Ik schonk een flinke scheut wodka in en morste op de tafel. Met een vloek pakte ik een servetje, en tegen de tijd dat ik het had schoongemaakt, was de jongen verdwenen. Zomaar ineens. Het ene moment stond hij bij de deur, het volgende niet meer, en mijn hart leek stil te staan.

Ik zei tegen Lauren dat ik naar de plee moest en ging meteen, waarbij ik me in de gang langs lichamen moest worstelen en onder armen door duiken. Hij was niet buiten en niet in de keuken en niet in de kast vol jassen. Ik wrong me met het glas in mijn hand langs mensen op de smalle trap, ik deed de ene deur na de andere open, om niets anders te zien dan verlaten kamers. Ik probeerde de badkamer boven. En ook de wc beneden, en onderweg vulde ik mijn glas bij, deze keer alleen met wodka, en ik dronk het in één keer leeg terwijl ik de deur probeerde.

Die ging open en mij werd een druppende kraan onthuld, en een wc, en ik keek naar mijn fronsende gezicht in de spiegel, en mijn weerspiegeling was nu eens helder en dan weer vaag, terwijl ik me stevig vasthield aan het wasbakje. Ik strompelde een kleine serre in. Daar was het koel en donker, alleen de maan scheen door het glazen plafond. In de hoek stond een gemakkelijk uitziende stoel, en daarin liet ik me neerploffen omdat alles zo draaide. En toen mijn billen op het kussen neerkwamen, hoorde ik iemand zeggen: 'Hoi.'

Ik keek op, maar het was niet de jongen, meneer Harris. Het was Max Morgan. Dé Max Morgan. En hij grijnsde naar me met een fles whisky in de hand. Hij had drank gemorst op zijn mooie shirt, op zijn voorhoofd parelde zweet, maar zijn ogen waren bruin, heel bruin, en zijn korte haar was donker en goed geknipt, en hij lachte een beetje scheef en ik was helemaal van de kaart.

'Hoi,' zei Max weer. 'Hannah?'

'Zoe,' zei ik terug. Alleen zei ik dat niet echt. Ik gebruikte mijn echte naam, die ik u niet kan vertellen.

'Zoe,' herhaalde Max. 'Zoe, Zoe, Zoe.' Hij boerde met zijn mond dicht en liet de boer langzaam ontsnappen. Opeens wees hij naar mijn borst. 'We hebben samen Frans!'

'Nee.'

Max hief zijn handen en viel bijna om. 'Sorry. Sorry, sorry. Je lijkt precies op iemand die ik ken.'

'We zitten al drie jaar op dezelfde school.'

De toon waarop ik dat zei, ontging Max. 'Ligt het aan mij of is het hier echt zo warm?' Hij liep onzeker naar de deur van de serre en deed zijn best die open te doen. 'Hij is kapot. Hannah, hij is kapot.'

Ik stond op, draaide de sleutel om en zette de deur open. 'Ik heet Zoe en de deur doet het weer prima.'

Max hikte. 'Mijn held. Heldin.' Hij lachte en stak de fles naar me uit. 'Slokje?' Ik wilde de fles aanpakken, maar Max trok hem weg, zodat ik er niet bij kon, en ging naar buiten. 'Kom je?'

Het was een warme avond, zeer geschikt om buiten te gaan zitten. De wind deed mijn haar wapperen, en Max pakte mijn hand. Mijn maag draaide bijna om toen onze vingers zich vervlochten, en ik vroeg me af wat Lauren zou zeggen als ze zag dat Max Morgan met zijn duim over mijn knokkel wreef. Ik dacht erover haar dat maandagochtend te vertellen. *En toen bracht Max me naar een stenen fonteintje achter in de achtertuin en in het water dreef een mot. Zachtjes raakte Max hem met zijn vingertop aan, waarna hij in het gras ging zitten. Hij nam een paar slokken whisky en keek naar me op, en ik keek op hem neer, en allebei wisten we dat er iets ongelooflijks zou...*

Max boerde.

'Blijf je daar staan?'

Ik ging zitten en hij overhandigde me de fles. Nog één slokje kon geen kwaad. Dat hield ik mezelf voor.

Dat hield ik mezelf voor elke keer dat Max me de fles overhandigde, en de rand glansde in het maanlicht, nat van het spuug. Hij legde zijn hand op mijn been en ik hield hem niet tegen, ook niet toen hij zijn hand steeds hoger over mijn dij liet glijden. Op een bepaald moment begon ik over mijn opa, dat hij ziek was en dat hij vroeger, toen hij nog jong was, heel fit was geweest.

'Ik ben ook fit,' zei Max, en hij hikte.

'Ze waren me een stel, mijn grootouders,' voegde ik er nog aan toe, en ik weet nog dat ik erg mijn best moest doen om niet met dubbele tong te spreken.

'Mijn ouders waren me ook een stel. Vroeger. Nu niet. Ze praten niet eens meer met elkaar.'

'Ze konden ook goed dansen,' ging ik verder, en ik wapperde met mijn handen door de lucht om te laten zien wat ik bedoelde.

'Ik kan ook goed dansen,' zei Max, en hij knikte iets te enthousiast; zijn hoofd ging op en neer in het duister. 'Echt heel goed.'

'Absoluut,' reageerde ik ernstig. 'En mijn grootouders waren ooit jong. Jong. Vind je dat niet gek?'

Max hikte nogmaals en deed zijn best zich op mijn gezicht te concentreren. 'Wij zijn jong. Wij zijn nú jong.'

'Waar,' zei ik. 'Heel waar.' Dat was de wijste conversatie die iemand ooit had gevoerd, en ik glimlachte wijs vanwege mijn grote wijsheid en misschien ook vanwege de whisky. Max boog zich naar me toe en zijn neus kwam tegen mijn wang aan.

'Je bent lief, Zoe,' zei hij, en omdat hij mijn naam goed had, kuste ik hem op zijn mond.

Meneer Harris, misschien schuift u ongemakkelijk heen en weer op uw bed omdat u zich niet op uw gemak voelt bij wat er daarna gebeurde, en ik durf te wedden dat uw bed kraakt omdat het welbehagen van een crimineel vast niet hoog op het lijstje prioriteiten voor in de gevangenis staat wanneer er gevangenen zijn die hun best doen te ontsnappen. Maar u niet. Ik denk dat u rustig in uw cel zit en uw lot aanvaardt omdat u denkt dat u het verdient om dood te gaan. Eerlijk gezegd doet u me een beetje aan Jezus denken. U gaat ook gebukt onder zonden, en hij ging ook gebukt onder zonden, alleen wogen de zijne zwaarder – ik bedoel, het waren wel eventjes alle zonden van de hele wereld.

Als het te meten was, alle zonden als zelfrijzend bakmeel op een weegschaal, dan zou ik niet weten wat de zwaarste zonde zou zijn, maar ik denk niet dat het de uwe is. Ik denk dat een hoop mannen hetzelfde zouden hebben gedaan na wat uw vrouw u vertelde. Denk daar maar aan wanneer u zich schuldig voelt. Een paar maanden geleden printte ik de lijst uit van iedereen die verantwoordelijk is voor genocide, en 's avonds, wanneer ik niet kan slapen, tel ik geen schaapjes, maar dictators. Ik zie ze over een muurtje springen: Hitler, Stalin en Saddam Hoessein die door de lucht springen in hun uniform met hun donkere snorren wapperend in de wind. Misschien zou u dat ook eens moeten proberen.

Hitler die over een muurtje springt

Ik hou mezelf voor dat ik een jaar geleden niet had kunnen weten wat er zou gaan gebeuren toen Max in de tuin zijn arm om me heen sloeg. Ik probeer me te herinneren dat ik me liet meeslepen, en dat ik nauwelijks recht kon lopen toen Max me mee naar binnen nam, door het huis heen en naar boven naar zijn kamer. Het rook er naar stof, voeten en aftershave. Max knipte het licht aan en deed de deur dicht, terwijl ik over een boxershort stapte die op de grond lag. Door een hand op mijn rug werd ik tegen de muur gedrukt. Ik keek even om en zag Max lachen. Hij duwde harder. Eerst raakten mijn handen de muur, toen mijn lichaam en vervolgens mijn hoofd, allemaal tegen een poster aan van een naakte vrouw. De poster was koel, dus liet ik mijn voorhoofd tegen de buik van de vrouw rusten terwijl Max me in mijn hals zoende. Dat prikte een beetje; als elektriciteit een mond had, zou het zo voelen.

Dat was de vonk en toen kwamen we in actie, met onze handen die grepen, onze monden hongerig en onze adem snel. Max draaide me om en duwde zijn tong in mijn mond. Hij liet zijn armen om me heen komen en tilde me op, van het tapijt af. Ik greep zijn schouders beet en ik was draaierig en alles tolde: de blauwe gordijnen, de witte muren, een leeg bureau en een onopgemaakt bed kwamen allemaal op ons af terwijl we neervielen.

Max lag op me met een woeste blik in zijn ogen terwijl hij zich klaarmaakte om me te kussen. Zijn mond kwam terecht op mijn wang, op mijn oor en op mijn sleutelbeen, en hij ging steeds lager, terwijl hij mijn topje omhoogtrok. Ik had geen beha aan, en daar waren mijn borsten midden in een jongenskamer, bleek en pront, en Max staarde ernaar. En toen raakte hij ze aan. Eerst heel zacht, maar toen steeds steviger, en hij wist heel goed wat hij deed, en het voelde goed, dus kreunde ik. Ik sloot mijn ogen toen Max' lippen mijn tepel vonden, en meneer Harris, hier moet ik het voor vanavond waarschijnlijk maar bij laten, want morgen moet ik naar school, en bovendien bloos ik me suf.

U mag het geloven of niet, maar de spin zit nog uit het raam van het schuurtje te kijken naar het donkere en zilverige, en als je het mij vraagt slaapt ze, want hoe verwonderlijk het universum ook is, ik geloof niet dat iemand er zo lang naar kan kijken zonder zich te gaan vervelen, behalve misschien Stephen Hawking. Ik vraag me af of u de hemel vanuit uw cel kunt zien, en of u ooit denkt aan de sterren en dat wij maar een stipje in die oneindigheid zijn. Soms probeer ik me mijn huis in de buitenwijk aan de rand van de stad voor te stellen, en dan zoom ik uit om het hele land te zien, en dan zoom ik uit om de hele wereld te zien, en dan zoom ik uit om het hele universum te zien. Daar zijn vurige zonnen, diepe zwarte gaten en vallende sterren, en dan verdwijn ik in het niets en alle problemen die ik heb veroorzaakt zijn maar een microscopisch klein *bliepje* tussen de enorme, kosmische explosies.

In de auto van mijn moeder klonk na Max' feest een kosmische explosie. Op de een of andere manier stond ik voor elven buiten. Ik werd snel weer nuchter, maar de geur was niet te maskeren. Natuurlijk begon het allemaal zodra mam een vleugje alcohol opsnoof. Ik weet niet meer wat ze zei, maar er was gedoe over 'teleurstellend gedrag' en er vielen boze woorden over 'vertrouwen', en de hele rit naar huis bleef ze maar schreeuwen en mijn hoofd deed er pijn van. Toen ik thuis was, deed pap met haar mee, maar nadat ik naar bed was gestuurd, verstopte ik mijn hoofd onder het kussen en lachte breed.

De Jongen met de Bruine Ogen. Wie was hij, waar was hij naartoe gegaan, en zou ik hem ooit nog zien? En Max. Wat zou er gebeuren wanneer we elkaar op school weer zagen, en zou hij me zoenen, waarschijnlijk achter de grote afvalcontainer waar geen leraar ons kon zien?

Ik ging op mijn rug liggen en verwonderde me erover
dat er twee jongens waren die me misschien wel zagen
zitten, terwijl een paar uur geleden nog geen jongen me
zag staan, en terwijl ik langzaam in slaap sukkelde,
bedankte ik opa. Ik had alleen maar naar het feest
kunnen gaan doordat hij een beroerte had gekregen,
en meneer Harris, al zat ik in de problemen en zou ik
waarschijnlijk voor de rest van mijn leven huisarrest
krijgen, ik kon het toch niet helpen dat ik die beroerte
als een grote bof beschouwde.

Van
Zoe

Fictiepad 1
Bath

17 september

Beste meneer Harris,

Deze keer doen mijn knieën eens niet pijn van het
knielen op harde tegels, want ik heb mijn kussen meegenomen toen ik op mijn tenen uit huis sloop. Dat legde
ik op de kist en dat is best prettig, ook al is het een
beetje vochtig. Waarschijnlijk heb ik gezweet toen ik
droomde, en het was heel echt met regen en bomen en
een verdwijnende hand. Ik durf te wedden dat u dat
wel kent, daarom hoef ik niet door te ratelen over hoe
angstaanjagend het was. Waarschijnlijk hebt u steeds last
van nachtmerries; wanneer de bewaker het licht uitdoet,
floept u vast meteen naar het moment dat uw vrouw u
de waarheid vertelde.

Gek idee dat u niet vanwege uw vrouw de doodstraf kreeg.
Dat snapte ik eerst niet goed. Ik bedoel het niet beledigend of zo, maar de vrouw doodsteken met wie u
tien jaar was getrouwd klinkt een stuk erger dan zomaar
een buur neerschieten die even langskwam met iets

lekkers omdat het Kerstmis was. Maar in het artikel, dat ik trouwens met Google heb gevonden, stond iets over een crime passionnel. Toen u uw vrouw aanvloog, kon u vast niet helder denken. U was verblind door razernij en had een rood waas voor ogen, zodat uw vrouw vast scharlakenrood was, en dat zou heel toepasselijk zijn geweest, want scharlakenrood heeft iets te maken met de Hoer van Babylon.

Voor de Amerikaanse wet is iets doen uit razernij niet zo erg als in koelen bloede handelen. Toen u de volgde ochtend de deur niet opendeed, deed uw buurvrouw die open en liep naar binnen. Als je het mij vraagt is dat onbeleefd, maar uw buurvrouw leerde zeker wel haar lesje toen haar hersenen tegen de muur spatten. Een eventuele getuige vermoorden was berekenend. Volgens de jury wist u precies wat u deed toen u de trekker overhaalde en haar lekkers aan de hond voerde. U was drie dagen op de vlucht, maar uiteindelijk gaf u zichzelf overmand door schuldgevoelens toch maar aan.

Soms denk ik dat ik dat maar beter ook kan doen. Nu ik weer naar school ga, wordt het steeds moeilijker om te doen alsof. Nu zijn moeder ook aan het rondsnuffelen is. Daar zat ik in de Engelse les met mijn mobieltje in de hand, en u hoeft niet te zeggen dat ik niet had moeten kijken, maar toch keek ik hoe laat het was omdat ik wilde dat het pauze was en ik met Lauren kon ontsnappen. We hadden de gewoonte ontwikkeld om ons met een meegegrist broodje in het muzieklokaal vol koperen muziekinstrumenten te verstoppen voor nieuwsgierige blikken. Zij zit dan op een trompetkoffer en ik leun tegen de muur met mijn voeten op een trombone, en veel zeggen we niet; we klagen alleen maar over de slappe plakjes komkommer, de harde schijfjes tomaat, of de taaie kip.

De Engelse les zou nog vijf minuten duren, maar toen verdween de tijd en verscheen er een naam op het schermpje:

SANDRA SANDRA SANDRA

Mijn mobieltje viel kletterend op mijn tafeltje, stuiterde twee keer en schoof toen op mijn etui af.

SANDRA SANDRA SANDRA

'Gaat het, Zoe?'

Ik schrok. Mevrouw Macklin draaide zich om van het bord. Ik kon niet eens knikken. Een jongen met sproetjes moest lachen.

'Hou je kop, Adam!' riep Lauren aan de andere kant van het lokaal uit, want we zaten op alfabet, en meneer Harris, ik denk niet dat ik veel verklap als ik zeg dat haar achternaam met een w begint en de mijne met een J. De jongen deed zijn mond dicht, maar bleef wel grijnzen. Anderen lachten nu ook, en ze stootten elkaar aan en wezen naar me.

'Wat is er, Zoe?' vroeg mevrouw Macklin, en ze keek met een bezorgde blik in haar blauwe ogen over de rand van haar montuur heen.

'Niks,' lukte het me uit te brengen.

Ze liet een boodschap achter. Toen de bel was gegaan, verdween ik in het meisjestoilet voordat Lauren me kon vragen wat er was. Met bonzend hart liet ik me op de plee zakken terwijl er allerlei beelden door mijn hoofd gingen, van de politie, gevangenissen, oranje overalls, rechtszalen en krantenkoppen: SCHULDIG! Sandra had geraden wat er echt op 1 mei was gebeurd, dat wist ik zeker. Het gevoel van paniek begon in mijn vinger-topjes en kroop toen langs mijn armen naar mijn borst en vervolgens naar mijn hoofd, waar het aan mijn haar-wortels trok.

'Is deze bezet?' vroeg iemand die op de deur bonkte.
    'Ja,' zei ik met mijn mobiel in mijn trillende handen.
    'Schiet dan een beetje op,' zei het meisje, en ik knikte, ook al kon ze dat niet zien, en toen drukte ik op een knopje om het bericht te beluisteren voordat ik van gedachten kon veranderen.

Stilte. Een lange stilte. Ik sloot mijn ogen. En toen kwam eindelijk Sandra's stem, en die klonk zacht en hees, met veel aarzelingen, waardoor de zinnen afgebroken leken. Ze vroeg me om eens langs te komen. Ik deed één oog open. Ze dacht dat dat voor allebei leuk zou zijn. Ik deed mijn andere oog open. Ze zei dat er geen dag voorbijging zonder dat ze zich afvroeg hoe het met me was, en net voordat ze de verbinding verbrak zei ze nog dat het veel voor haar zou betekenen als ik af en toe eens langskwam.
    'Niemand anders... begrijpt het, snap je. Mensen... Nou ja, ze snappen er niks van.'

Ik hoef zeker niet te zeggen dat ik niet terugbelde en dat ik haar bericht wiste, en ik stopte mijn mobieltje zo diep mogelijk in mijn tas, en begroef het onder de duizenden jaren in mijn geschiedenisboek. Toen ik Lauren aantrof in het muzieklokaal, gaf ze me een broodje en keek ze oplettend naar mijn gezicht, maar ze vroeg niet waarom ik het broodje niet kon eten; ze zei alleen maar dat de kip nog taaier was dan anders.

Van
Zoe

Fictiepad 1
Bath

27 oktober

Beste meneer Harris,

Sorry dat het zo lang heeft geduurd, maar ik heb het
moeilijk en ik heb zelfs het proefwerk over de voort-
planting van planten verprutst. Denk nou niet dat ik
vragen moest beantwoorden over tulpen die vieze
dingen doen in een bloemperk, want zo gaat het
niet; eigenlijk is het veel interessanter, in elk geval
voor mij omdat ik van wetenschap hou, en niet om op
te scheppen, maar ik zou een heel hoog cijfer hebben
gekregen als mijn vader niet in mijn kamer was gekomen op de avond dat ik had moeten leren.

Hij zei dat hij Sandra bij de groenten in de supermarkt
tegen was gekomen, en dat er tranen in haar ogen waren
gesprongen die niks met uien te maken hadden.
    'Ze zou je graag weer eens willen zien,' had pap gezegd
terwijl ik in mijn biologieboek staarde en wilde dat hij
zijn mond hield. 'Ze vertelde dat ze je een paar keer had
gebeld, maar dat je nooit opneemt.'

'Dan moet ze maar niet op school bellen,' mompelde ik, en meteen voelde ik me rot. Want het is Sandra's schuld niet. Ik duwde de achterkant van mijn pen in een doorsnede van een bloem terwijl ik wanhopig graag wilde dat pap wegging.

'Ze zag er vreselijk uit,' ging pap verder terwijl hij op de rand van mijn bed ging zitten. 'Echt verschrikkelijk.' Ik vertrok mijn gezicht, want schuldgevoelens zijn echt pijnlijk.

'Ze zag er verschrikkelijk uit,' ging pap verder terwijl hij op de rand van mijn bed ging zitten. 'Echt verschrikkelijk. Vel over been...'

'Laat maar, ik snap het!' snauwde ik, en ik gooide mijn pen op de grond.

Pap friemelde met de rand van het dekbed. 'Ik dacht alleen dat je wel zou willen weten dat je niet de enige bent, schat. Dat is alles. Ik had er niet over moeten beginnen.' Hij stond moeizaam op en streelde even over mijn hoofd. 'Als ik het van je kon overnemen, zou ik het doen,' mompelde hij, en om eerlijk te zijn zou ik er heel wat voor over hebben gehad om de pijn en het verdriet in zijn borst te rammen. En dat was zoiets rots om te willen dat ik ging huilen. Ik verdien geen lieve familie of vrienden, zelfs niet iemand als u, en daarom heb ik een poos niet geschreven.

Maar vanavond dacht ik ineens dat u misschien eenzaam zou zijn in uw cel zonder brief van mij. Dat is niet beledigend bedoeld, hoor, maar ik kan me niet voorstellen dat u daar veel vrienden hebt, want het is daar vast niet lollig; ze vertellen vast niet allemaal grapjes en ze doen ook vast geen high fives door de tralies heen. Misschien bent u net zo afhankelijk van mij als ik afhankelijk ben van u. Misschien hebben we elkaar nodig, zodat ik me niet zo rot voel als ik u mijn verhaal vertel, en dat móét ik doen omdat het aan me vreet en u de enige op de wereld bent die het misschien begrijpt. Ik kan niet meer wachten, dus ik begin bij de ochtend na Max' feest, waarop ik in bed lig te lijden aan mijn eerste kater en waarschijnlijk dit geluid maak: kfoelmeharsjikkewottig.

DEEL III

Het kon mijn moeder niets schelen dat ik me nog nooit van mijn leven zo rot had gevoeld. Ze trok gewoon mijn gordijnen open. De zonneschijn stompte me met een knalgele vuist tussen mijn ogen.

'Eruit,' beval ze terwijl ze het raam openzette. Dat keek uit over de achtertuin. 'Douchen. Ontbijten. Afstoffen.'

'Afstoffen?' bracht ik kreunend uit.

'En dan stofzuigen. En de badkamer kun je ook schoonmaken.' Ik trok het dekbed over mijn hoofd. Mam trok het weer terug. 'Drínken, Zoe. Wat dacht je wel?'

'Ik wou niet. En ik heb niet eens heel veel gedronken.'

'Op jouw leeftijd drinken is onaanvaardbaar. Echt onaanvaardbaar. Dit is een heel belangrijk jaar voor je, Zoe. Het begin van je eindexamen. Huiswerk. Je weet best dat je vader en ik hoge verwachtingen van je hebben. Frons maar niet, dat heeft geen zin,' zei ze, omdat ik een gezicht trok. Ik had de pest aan gesprekken over school. Echt heel erg de pest. 'Je bent dan wel slim, maar als je rechten wilt studeren, moet je heel goede cijfers halen.' Ik keek naar *Bizzel het Bazzelbeest* op mijn bureautje. 'Met schrijven verdien je geen rooie cent,' merkte mam vastberaden op.

'Als advocaat verdien je goed. Daar hebben we het al over gehad. Je was het met me eens.'

'Weet ik,' mompelde ik, al was het niet waar. Zo ging het altijd wanneer het over carrière maken ging. Het was makkelijker om maar in te stemmen met wat mam zei, omdat ik het gevoel had dat ik haar iets verschuldigd was vanwege haar harde werken.

'Nou dan. Je moet hard werken. Niet je kansen vergooien.'

'Het waren maar een paar drankjes, mam. Het zal niet weer gebeuren.'

'Daar krijg je de kans ook niet meer voor!' zei ze, en ze raapte mijn spijkerbroek op van de grond en hing hem in de kast. 'Je hebt twee maanden huisarrest. En ik pak je je mobieltje af.'

Een uur lang bleef ik bewegingloos liggen. Ik kon niet anders. Zelfs als ik mijn hoofd hief om een slokje water te nemen voelde ik me al misselijk. Pap vertelde Dot dat ik griep had, dus holde ze in pyjama mijn kamer in met een kroon van blauw karton. Op de voorkant had ze geschreven: BETERSCHAP, alleen had ze de T vergeten, dus stond er: BEERSCHAP. Op haar hoofd stond een grotere kroon van roze karton. Ze straalde toen ik de mijne opzette.

'Nou kunnen we de koning en de koningin van de wereld en het heelal zijn,' gebaarde ze.

Ik boog en hield het dekbed op. 'Klim er maar in, Majesteit.' Dot klom in mijn bed en we bleven heel lang knuffelen, terwijl de punten van onze kronen in het kussen prikten.

Uiteindelijk deed ik mijn klusjes, ik sleepte me in

pyjama door het huis. Terwijl ik de badkamer aan het schoonmaken was, dacht ik ineens aan de twee jongens, dus tekende ik met gelig bleekwater twee harten in de wc-pot.

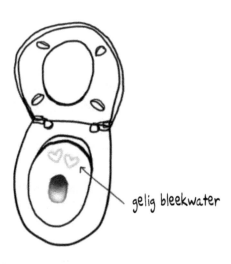

gelig bleekwater

Toen ik doortrok, ging het water schuimen, en dat was precies zoals ik me voelde, mijn opwinding schuimde helemaal vanzelf. Ik popelde om het Lauren te vertellen, ik zag haar gezicht voor me terwijl ik haar de kus met Max zou beschrijven. Misschien zou ik hem in de grote pauze zien. En de Jongen met de Bruine Ogen ook. Dan zouden we stiekem naar elkaar lachen over onze frieten heen, met de smaak van zout en liefde in onze mond.

Ik was dus in een opperbeste stemming. Mijn ouders zeiden bijna niets tegen me, maar ze zeiden ook niet veel tegen elkaar, ongetwijfeld nog nasudderend van razernij vanwege de avond daarvoor. Pap was in de garage de BMW aan het wassen, en mam was bezig met Dot, met wie ze het huiswerk van liplezen oefende dat de spraaktherapeut had opgegeven.

'Bank,' zei mam duidelijk. 'Bank. Bank. Bank.'

'Plant?' gebaarde Dot.

Soph trok een gezicht. Ze was van top tot teen in het zwart gekleed en lag met haar witte konijn, Skull, op de grond. Naast haar lag een rekenboek. Dot zat bij mam op schoot in een leren stoel, met haar wenkbrauwen gefronst onder haar roze kroon.

'Bijna,' zei mam, en op haar voorhoofd verscheen ook een frons.

'Kunnen we er nou mee ophouden?' gebaarde Dot, en ze wreef over het puntje van haar neus met een uitdrukking op haar gezicht die aangaf dat ze er schoon genoeg van had.

'Ik snap de vierde som niet,' zei Soph, maar mam zette Dots kroon goed op haar hoofd en ging gewoon verder.

Soph pakte haar rekenboek en hield het omhoog, en de steen van haar stemmingsring glansde donkerblauw.

'Was is de gemene deler van de volgende getallen? Hoe kan een deler nou gemeen zijn? Ik snap het niet...'

'Rug,' viel mam haar in de rede. Nadenkend beet Dot op haar lip. 'Rug,' zei mam weer. Ze wees naar achteren om Dot een aanwijzing te geven. 'Rúg.'

'Rug?' gebaarde Dot, en mam juichte ineens.

'Grote meid!' zei ze, en ze schudde Dot door elkaar om het te vieren. Dot giechelde, en mam gaf haar een zoen op de wang.

Soph gooide het rekenboek op de grond. 'Balpen?' mompelde ze, en ik knikte.

Soph stak een rode uit. We zaten tussen mams schoenen in de grote kast in de slaapkamer van mijn ouders, waar we altijd balpen rookten en dingen bespraken die alleen in het donker kunnen worden besproken. Soph deed een blauwe balpen in haar mond en deed alsof ze inhaleerde. Ze blies niets uit en tikte de balpen drie keer af in mams gymschoen, alsof ze de as eraf liet vallen. Ik zoog op mijn balpen en ademde langzaam uit.

'Hoe was het feest?' vroeg Soph. 'Je was hartstikke aangeschoten, Zoe. Toen je thuiskwam, hikte je, en toen klonk je net als een zeehond.'

Ik gaf haar een por met mijn teen toen ze het geluid nadeed. 'Hou op!'

Met een grijns zette Soph haar kin op haar knieën. Haar lange haar viel rond haar benen. 'Hoe was het nou?'

'Hoe was wat?'

'Dronken zijn,' fluisterde ze, en haar groene ogen fonkelden in het donker.

Ik dacht even na. 'Duizelig.'

'Leuk duizelig of rot duizelig?'

'Ertussenin duizelig. Eerst was het leuk en later was het vreselijk.'

'Wat had je gedronken?'

'Wodka, en toen kreeg ik whisky van een jongen.'

'Een jóngen. Heb je met hem gezoend?'

'Tuurlijk,' zei ik, en ik nam mondain een trekje van mijn balpen.

'Wie was het?'

'Iemand die Max heet.'

'Knap om te zien?'

'Heel knap. En hij is populair en bijna iedereen op school vindt hem leuk.'

'Waarom heeft hij dan met jóú gezoend?'

Ik gaf haar weer een por, maar besloot om eerlijk te zijn. 'Weet ik niet. Hij was behoorlijk aangeschoten.' Er ging een steek door me heen, maar achteloos ging ik verder: 'Waarschijnlijk kan hij het zich niet meer herinneren. Je weet hoe jongens zijn.'

Ze liet haar balpen in mams gymschoen vallen en begon aan de veters te friemelen. 'Klinkt in elk geval beter dan luisteren naar mam en pap die aan het ruziën zijn.'

'Opa?'

Soph knikte, terwijl ze een grote strik maakte. 'Gaat hij dood, Zoe?'

'Ooit wel.'

'Je weet best wat ik bedoel.'

'Hij is oud,' zei ik omdat ik niets anders wist om te zeggen.

Soph pakte de gymschoen op bij de strik en tikte op de zool. De schoen zwaaide als de slinger van een klok heen en weer.

'Ik denk dat hij bij ons moet komen wonen,' zei ze. 'Ik vind niet dat hij in zijn eentje moet zijn als hij doodgaat.'

'We hebben geen kamer over.'

'Ik kan bij jou intrekken,' stelde Soph voor.

'Geen sprake van! Je snurkt, je lijkt wel een varken.'

'Nietes.'

'Welles. En trouwens, mam zou hem nooit binnenlaten.'

De gymschoen slingerde heen en weer.

'Waarom niet?' vroeg Soph.

Ik deed de balpen in mijn mond en nam een trekje, terwijl ik me probeerde te herinneren waar de ruzie al die jaren geleden bij opa thuis over ging. Voordat ik iets kon zeggen, riep mam naar boven. Soph tikte tegen de gymschoen en die ging sneller slingeren.

'Soph!' riep mam weer. Ik porde mijn zusje, maar ze gaf geen krimp. 'SOPH! HUISWERK!'

'Nou heeft ze wel tijd,' mopperde Soph, en ze liet de gymschoen van haar vinger vliegen. Die sloeg tegen de houten deur. *Boem.*

We wilden net uit de kast komen toen mam de slaapkamer in kwam en haar sloffen uittrok. Ze zette ze netjes naast het bed. Terwijl ze over haar voorhoofd wreef, ging ze op bed zitten. Pap kwam ook binnen, trok zijn shirt met olievlekken uit en liet het op de grond vallen.

'Wasmand,' zei mam.

'Mag ik even?' snauwde pap, en hij trok ook zijn broek uit.

Gauw sloeg Soph een hand voor haar mond om haar lachen te smoren. Het deksel van de wasmand ging naar boven. Er klonk een *floemp* toen de kleren erin werden gemikt. Ik boog me langzaam naar voren om beter door de kier te kunnen kijken.

'Ik heb zitten denken...' begon pap.

'Niet nu, Simon.' Mam klopte het roomkleurige kussen op en ging ertegenaan liggen. 'Ik heb hoofdpijn.'

'Luister nou even, oké?'

Met een frons zei mam: 'Ga door.'

'Waarom komen we niet tot een compromis over Zoe?'

Soph zette haar vingers in mijn been, en ik haalde mijn schouders op.

'Hoe bedoel je?' vroeg mam.

'Nou, als je vindt dat Soph en Dot te jong zijn om bij mijn vader op bezoek te gaan, kan Zoe dat nog wel doen.'

'Ik wil niet dat ook maar één van de meisjes bij hem op bezoek gaat!' snauwde mam. 'Daar gaat het nou juist om! Dat is het principe.'

Pap ging op het bed zitten. 'Principes zijn nu niet meer belangrijk.'

'Hoe kún je dat zeggen?'

'Je hebt hem niet gezien, Jane. Hij was oud. Eenzaam. We hebben jarenlang niet naar hem omgekeken en ik...'

'Hij heeft ook niet naar ons omgekeken! En de banden zouden niet zijn doorgesneden als hij niet had gezegd... Als hij geen beschuldigingen had geuit... Het is onvergeeflijk. Dat heb je zelf wel honderd keer gezegd. En nu verwacht je van mij dat ik het maar vergeet en ga doen of we een gelukkige en blije familie zijn? Nee,' zei ze vastbesloten. 'Nee. Dat kan ik niet.'

Pap zag eruit of hij erop door wilde gaan, maar stond toen toch maar op. Een hele poos bleven ze zwijgen, terwijl pap schone kleren aantrok.

'Hoe ging het liplezen?' vroeg hij uiteindelijk. 'Is er al enige vooruitgang?' Het kussen ritselde toen mam haar hoofd schudde. Ze keek bezorgd. Pap leek het niet op te vallen. Hij trok een sok aan, trok hem weer uit en bekeek hem aandachtig. 'Er zit een gat in. Liggen er schone sokken op de radiator?' Toen mam geen antwoord gaf, zei hij: 'Maak je niet druk, schat. Ze komt er wel.'

'Dat weet je niet.'

'Tuurlijk wel! Als je maar blijft oefenen, dan...'

'Misschien is oefenen niet voldoende,' reageerde mam, en ze liet zich achteroverzakken tot ze op haar ellebogen leunde. 'Ik heb erover zitten denken. Ik heb er zelfs veel over nagedacht.'

'Ik weet wat je wilt zeggen,' mompelde pap terwijl hij de sok met een gat terugwierp in de la. 'En het antwoord is nee.'

'Maar waarom niet? Wat is er verkeerd aan nog een operatie proberen?'

'Zoiets laten we haar niet nog eens doormaken,' zei pap, en hij doelde op het gehoorsimplantaat dat na een ontsteking moest worden verwijderd. 'Dot is gelukkig zoals ze is.'

'Maar een operatie zou kunnen helpen!'

'Die beslissing kan ze zelf nemen wanneer ze ouder is.'

'Dan is het misschien te laat,' bracht mam ertegen in, en ze ging plat op haar rug liggen.

Pap keek op haar neer. 'Je maakt je veel te veel zorgen.' Hij boog zich over haar heen om een zoen te drukken op de frons in haar voorhoofd. En toen eentje op haar neus. En toen eentje op haar mond. Soph pakte mijn been vast en keek heel erg vies, maar ze hoefde zich geen zorgen te maken, want mam draaide zich met haar gezicht naar de muur.

Die avond keek ik lang naar mijn muur omdat ik te opgewonden was om te kunnen slapen. De volgende dag sprong ik uit bed nog voordat de wekker was gegaan, en meneer Harris, misschien weet u hoe het is om je met trillende handen aan te kleden. Volgens het artikel had u Alice voor jullie eerste afspraakje getrakteerd op een cheeseburger met kronkelfriet, en waarschijnlijk deden jullie iets romantisch, zoals met twee rietjes uit één beker chocolademilkshake drinken. De journalist zei dat u haar leerde kennen toen u achttien was, tijdens een honkbalwedstrijd waar u de werper was en zij cheerleader, en dat het tien jaar lang ware liefde was, totdat u haar doodstak.

Toen ik op school kwam, zag Lauren me bij het tekenlokaal en stormde op me af. Eindelijk had ik eens iets te vertellen, en lachend liet ik me bij de arm pakken en het lege lokaal in sleuren. Er hingen beschilderde vellen papier aan wasknijpers boven ons, en de vensterbank stond vol potten met kwasten erin. Het rook er vochtig, een beetje modderig. Misschien naar klei.

'Heb je het gehoord van Max?' vroeg ik met een brede grijns. Ik kon er niets aan doen. 'Jezus, ik popelde om je erover te vertellen, Loz. Ik zou je gisteren hebben gebeld als mijn moeder mijn mobieltje niet had afgepakt en me gedwongen de plee schoon te maken.'

'Dus daarom nam je niet op! Ik heb je hartstikke vaak gebeld. En wel hónderd berichtjes achtergelaten.' Het klonk gespannen. En ze zag er ook gespannen uit toen ze haar zwarte haren achter haar oren streek, waar ze niet bleven zitten omdat ze te kort waren.

'Wat is er?' vroeg ik.

'Dit ga je niet fijn vinden.' Ze haalde haar eigen mobieltje uit haar zak en staarde naar het schermpje terwijl ze haar vinger op haar lippen legde. 'Deze foto heeft Max naar Jack gestuurd,' fluisterde ze. 'En Jack heeft hem doorgestuurd. Aan iedereen, echt iedereen.'

Toen Lauren het schermpje naar me toe draaide, liet ik me op een kruk zakken en draaide mijn maag zich om.

Een foto.

Een foto van mij, met mijn ogen dicht en mijn haar uitgespreid op het dekbed. Mijn blote borsten wezen recht in de lens. In een gebaar van steun wreef Lauren over mijn rug en zei troostend: 'In elk geval heb je mooie tieten.'

Blijkbaar echt mooie tieten. Elke keer dat ik een lokaal in liep, hoorde ik fluiten, en jongens die ik niet kende keken me aan in de gang, en na de grote pauze sprak een lange jongen me aan bij de gymzaal.

'Waar heb jij je schuilgehouden?' vroeg hij op zo'n griezelige toon dat ik er kippenvel van kreeg.

Ik had me nergens schuilgehouden. Ik zat al drie jaar op dezelfde school en kwam in dezelfde lokalen. Ik schreef dingen in mijn schriften. Ik luisterde naar de leraar. In de pauze kletste ik met Lauren op het schoolplein. En nu ineens keken mensen naar me in de les en bij de jassen en wanneer ik een broodje kaas kocht in de kantine, alsof ik iets heel anders aan het doen was. Iets interessants.

Ik had aandacht gewild, maar niet op deze manier. Het was een opluchting toen de laatste bel klonk. Grauwe wolken hadden zich samengepakt en het was koud, dus verborg ik mijn gezicht in mijn jas en haastte me langs de netbalvelden. Max verscheen bij het hek een paar meter voor me uit, en hij had een blauw jack aan dat zijn gebruinde huid goed deed uitkomen. Hij gooide een voetbal op, en zijn tas stond aan zijn voeten, en als u het weten wilt, daar zaten witte sportschoenen in, en die mag je op school absoluut niet dragen, en zijn korte donkere haar was met veel zorg gestyled, zodat het aan de voorkant een beetje omhoogstond. Hij zag er goed uit, daar bestaat geen twijfel over, maar dat deed er niet toe. Dat deed er helemaal niks toe. Dat hield ik mezelf voor, terwijl het voelde alsof er een langpootmug in mijn buik zat te kriebelen. Een groepje meisjes ging langzamer lopen om te kijken toen ik met mijn blik op het hek gericht langs Max heen liep met mijn neus waarschijnlijk in de lucht.

'Zoe! Wacht!'

Ik draaide me zo snel om dat er een pluk haar in mijn mond kwam. Die streek ik weg. Max liet de bal vallen, verbaasd dat ik zo kwaad was.

'Wanneer heb je hem genomen?' vroeg ik, en ik stormde op hem af, maar niet heel snel, omdat het rokje van mijn schooluniform nogal strak was. De monden van de meisjes vielen open, vijf monden tegelijk. Max schuifelde met zijn voeten. 'Ik wist niet dat je een mobieltje had.'

'Iedereen heeft een mobiel,' zei hij nogal lam. 'En ik had je gezegd dat ik een foto maakte. Rustig nou maar.' Hij waagde het erop naar me te lachen. 'Het stelt immers niks voor.'

'Doe niet zo neerbuigend,' grauwde ik. 'En lieg niet. Je hebt níks gezegd over een foto maken.'

Met een zelfgenoegzaam lachje boog hij zich naar me toe. Hij rook naar aftershave en kauwgum. 'Natuurlijk heb ik dat gezegd. Je weet het alleen niet meer. Het is mijn schuld niet dat je niet tegen alcohol kunt.' Hij knipoogde er zelfs bij. 'Echt hoor, je was ladderzat...'

'Iedereen heeft hem gezien,' zei ik, en mijn stem trilde van woede. 'De hele school. Hoe durf je? Ik bedoel, waarom denk je dat er recht op hebt? Omdat je popi bent? Is dat het? Denk je soms dat je alles kunt doen wat je wilt?'

Max blies zijn wangen op. 'Tuurlijk niet. Doe niet zo achterlijk.'

'O, maar ik doe niet achterlijk, jíj doet achterlijk. Je dacht zeker dat je je eruit kon flirten, alsof ik een of andere suffe griet ben die gesust wordt met een knipoog van de Machtige Max Morgan.' Ik liet mijn blik over hem heen dwalen, van top tot teen. 'Kom op, zeg!'

Hij fluisterde: 'Je ziet er leuk uit als je boos bent.' Blozend van ergernis wilde ik weggaan, maar Max greep mijn hand. 'Hoor eens, het was toch niet míjn schuld?' Ik wilde een tegenwerping maken, maar hij zei gauw: 'Nou, het was niet mijn schuld. Ik stuurde de foto alleen maar naar Jack. En toen heeft híj hem doorgestuurd naar...'

'Maar jíj hebt de foto genomen!' snauwde ik. 'Zonder dat ik het wist!'

Inmiddels was het gaan regenen, de druppels vielen zwaar op mijn jas.

'Sorry, oké? Ik maak het wel goed.'

Ik trok mijn hand terug. 'En hoe wou je dat dan doen?'

Even verzachtte zijn gezicht. Hij wilde net iets zeggen toen drie van zijn vrienden naar het fietsenhok renden met hun shirt tegen hun rug geplakt.

'Wil je nog een foto?' riep Jack terwijl hij zijn fiets van het slot haalde.

Max stak zijn handen omhoog, alsof hij was betrapt. 'Schuldig!'

'Neem het jezelf niet kwalijk, man. Ze zag er goed uit.'

'Nou ja...' Max haalde zijn schouders op, meteen weer zijn eigen brutale zelf. 'Niet verkeerd.'

Nadat hij nog een keer naar me had geknipoogd rende hij weg, en meneer Harris, ik denk dat ik hier vanavond maar stop, op het moment dat ik Max achterop zie springen bij Jack en hij door het hek verdwijnt, zijn hoofd lachend in zijn nek. De volgende keer zal ik u vertellen wat er gebeurde bij het vreugdevuur, en geloof me, dat zal u schokken, maar maak u niet druk, want u hoeft niet eindeloos te wachten op hoe het verderging. Het was een hele opluchting om weer eens met u te praten, en misschien doet het u ook goed. Echt hoor, ik vind het rottig voor u dat u opgesloten zit in de gevangenis met nauwelijks enig vertier. Ik kan alleen maar hopen dat ik het verkeerd heb met het doden-cellenblok en dat er in de cel naast u een aardig iemand zit. Ik hoop dat hij een praatgrage verkrachter is die ook nog leuke moppen tapt.

Van
Zoe

Fictiepad 1
Bath

3 november

Daar ben ik weer, meneer Harris,

Het is wintertijd, dus nu is het een uur eerder donker –
niet dat dat voor ons veel verschil maakt, want voor ons
is alles duister. Ik vraag me af of u uw eten kreeg toen
de sterren helderder straalden en de maan vroeger opkwam omdat de bewakers de klok hadden teruggezet.
Nu ik erover nadenk, durf ik te wedden dat ze niet eens
de moeite hebben genomen. Het maakt criminelen vast
niks uit of het drie uur 's middags is, of vijf uur of zeven
uur. Waarschijnlijk kan het hun ook niet schelen dat het
zondag is. Als elk uur van elke dag hetzelfde is, denk ik
dat je tijdsbesef gewoon verdwijnt.

Het tijdsbesef verdween niet toen ik vorig jaar na Max'
feest huisarrest kreeg. September ging langzaam voorbij,
maar in oktober zat geen beweging. Na de opwinding
met die foto werd het weer gewoon op school, en voor
het geval u het zich afvraagt: ik kreeg de achterkant van
de afvalcontainer nooit te zien. Ik botste ook niet op

tegen de Jongen met de Bruine Ogen, en het leven
kabbelde een paar weken voort, weken waarin er niets
gebeurde afgezien van het geruzie tussen mijn ouders
omdat pap steeds laat thuiskwam nadat hij opa een
bezoekje in het ziekenhuis had gebracht. Eerst schepte
mam zijn eten op een bord, dat ze dan in de magnetron
zette, maar op een avond mikte ze het in de vuilnisbak,
en meneer Harris, ik denk dat dat een goed punt is om
het verhaal weer op te pakken.

<u>DEEL IV</u>

'Er staat een blik witte bonen in tomatensaus in het
keukenkastje,' zei mam toen pap met zijn handen in zijn
zij in de lege magnetron keek. Hij snoof eens, en ik
vroeg me af of hij de chili con carne kon ruiken die we
hadden gegeten, en het gehakt dat Soph op de grond had
laten vallen toen ze Skull iets wilde toestoppen.
    Pap haalde een blikopener uit de la. 'Het gaat nog niet
beter met opa,' verzuchtte hij. Mam liet niet blijken dat ze
hem had gehoord, ze keek aandachtig naar het scherm
van haar laptop. Pap goot de bonen in een kommetje, en
heel even vroeg ik me af of Bizzel ineens zou verschijnen,
helemaal blauw, nat en onder de tomatensaus. Ik glimlachte, want ik wilde gauw opschieten met mijn huiswerk,
zodat ik nog een hoofdstuk kon schrijven. 'Goede dag
gehad, jullie?' vroeg pap om een gesprek te beginnen.
    'Gewoon,' mompelde mam.
    'Waarschijnlijk beter dan de mijne.'
    'Het is geen wedstrijd, Simon.'
    'Dat zei ik ook niet. Ik had gewoon een rotdag. Eigenlijk
wil ik het daar graag met je over hebben.' Hij drukte op

een paar knoppen van de magnetron en keek toen naar het ronddraaiende kommetje.

'Ik ben nu bezig,' zei mam.

'Het is belangrijk.'

'Wat ik doe, is ook belangrijk.'

'Waar kijk je naar?'

'Niets wat jou zou interesseren,' zei ze hooghartig.

'Als het is wat ik denk dat het is, verspil je je tijd.'

'Het kan geen kwaad om te kijken,' zei mam, en ze klikte een pagina over gehoorsimplantaten aan terwijl de magnetron pingde.

Pap haalde het kommetje eruit en stak een vinger in de bonen. 'Hoe lang moeten ze erin? Ze zijn nog koud.'

'Jezusmina,' snauwde mam, en ze stond op en wilde het kommetje pakken. Maar pap liet het niet los. 'Kun je dan niks zelf?'

'Ik zei toch niet dat jij het moest doen?'

Mam trok het kommetje uit paps handen en kwakte het in de magnetron.

'Laat ons even alleen, Zoe,' zei pap zacht. 'Ik wil met je moeder praten.'

'Ik ben aan het werk,' mopperde ik zonder op te kijken van mijn huiswerk. Ik tikte tegen de balpen tussen mijn tanden om aan te geven dat ik diep nadacht en niet gestoord mocht worden.

'Vijf minuutjes, schat. Toe?'

'Laat haar met rust, Simon. Ze is aan het leren.'

'In haar kamer kan ze ook leren,' reageerde pap. 'Hup, Zoe.'

Verongelijkt pakte ik mijn boeken en schriften bij elkaar en verdween uit de keuken. Uiteraard deed ik wat ieder normaal iemand zou doen en zette ik een glas tegen de muur van de woonkamer, maar ik hoorde alleen mijn eigen bloed ruisen, wat eigenlijk wel een opluchting was, want ik was me zorgen gaan maken dat bloedproppen misschien in de familie zaten. Ze zaten daar een uur. En de drie avonden daarna ook. Ik had geen idee waar ze het over hadden, en toen Soph een rietje onder de deur stak om hen te bespioneren, kon ze alleen maar stof op de vloer zien.

Een week later werd het nog gekker. Ik kwam thuis van school en trof pap ijsberend door de gang aan, terwijl hij zijn das losser maakte. Mams achterwerk stak uit de schoenenkast.

'Waar gaan jullie heen?' vroeg ik. Mijn maag kromp ineen. Pap kwam nooit vroeg thuis.

'Uit,' antwoordde mam, en ze stak haar voeten in schoenen met hoge hakken.

'Ja, dat snap ik. Maar waarnaartoe? Gaan jullie bij opa op bezoek?'

'Niet erg waarschijnlijk,' zei mam, en ze zette haar tas op de gangtafel naast een pamflet over Bonfire Night, wanneer op 5 november vreugdevuren worden ontstoken om te vieren dat Guy Fawkes de parlementsgebouwen niet in de lucht heeft laten vliegen. Ze deed lippenstift op, terwijl pap op zijn voeten wipte.

'Waarom zijn jullie zo mooi aangekleed?' vroeg ik.

'Maak je daar maar niet druk om,' zei pap.

Ik trok mijn jas uit en hing hem over de trapleuning. 'Maar ik maak me er wel druk om.'

Mam wreef haar lippen over elkaar en friemelde aan de kraag van haar blouse. 'We leggen het later wel uit.

Soph is bezig op de computer en Dot speelt met haar poppen. Ik heb pasta gemaakt, dus daar kunnen jullie van nemen als jullie honger krijgen.' Bezorgd zweeg ze. 'Beloof dat je goed op je zusjes past, en bel me als er iets...'

'Als ik dat doe, mag ik hier dan morgenavond naartoe?' viel ik haar in de rede, en ik hield het pamflet over het vreugdevuur op. Mam las het snel door. 'Het ligt hier al twee maanden,' hielp ik haar herinneren. 'Iedereen op school gaat erheen, en ik had alleen maar huisarrest tot...'

'Goed,' zei mam, en ze pakte de sleuteltjes van de BMW. 'Maar alleen als je je huiswerk vanavond af hebt. Doe je das goed, Simon.' Pap lette niet op haar en rukte de sleuteltjes uit haar hand terwijl hij de voordeur achter zich dichttrok.

Meneer Harris, ik wist zeker dat ze naar een advocaat gingen om de scheiding in gang te zetten. Ik liet me op een traptree zakken en voelde me misselijk. Ik wist precies hoe het zou gaan. Dat had ik op school wel gehoord. Pap zou een flat huren en elke avond vissticks eten, en hij zou vergeten afwasmiddel te kopen, dus zouden er nooit genoeg schone messen zijn en zouden we boter op onze boterhammen moeten smeren met de achterkant van een lepel. Mam zou kilo's aankomen en in pyjama op de bank liggen kijken naar documentaires over vrouwen die eerst man waren. Dat gebeurde met Laurens moeder, totdat Lauren zei dat het zo wel genoeg was en de tv uitdeed net op het moment dat Bobs nieuwe borsten zouden worden onthuld. Haar moeder was geërgerd, maar het was wel het duwtje dat ze nodig had, en ze viel af door uitsluitend proteïnen te eten en toen ging ze naar een afspraakje met een jongere man in Laurens spijkerbroek.

Ik staarde naar mijn eigen spijkerbroek, die over een radiator hing te drogen. Dit kon ik mijn familie niet laten overkomen. Ik sloop de slaapkamer van mijn ouders in en keek in mams nachtkastje om uit te zoeken wat er gaande was. In het bovenste laatje lag een juwelenkistje met de sleutel in het slotje. Nadat ik had gekeken of de kust veilig was, draaide ik het sleuteltje om en hoorde een bevredigende *klik*. Erin lagen twee zakjes babyhaar van Soph en mij, afdrukken van onze handjes en voetjes, en de armbandjes die we in het ziekenhuis om hadden gehad nadat we waren geboren. Dots babydingen zaten zeker in een ander kistje, maar daar ging ik niet eens naar op zoek, omdat mijn aandacht werd getrokken door een brief in een vergeelde envelop onder een plastic zakje met mijn eerste melktand.

De brief was in paps handschrift, maar wel verbleekt. Ik weet niet meer precies wat erin stond, maar ik weet wel dat het ranzige dingen waren over dat mams blonde haar voelde als gouden zijde, en haar groene ogen eruitzagen als stille poeltjes, en dat haar zelfvertrouwen straalde als sterren, krachtig, sprankelend, de duisternis om haar heen oplichtend. De moeder die ik kende maakte zich zorgen om e-nummers, rode sokken samen met witte t-shirts in de wasmachine doen, en of we onze vitaminepillen wel slikten. Ik vond het een beetje verdrietig dat ik die andere vrouw nooit had gekend, maar ik stopte alles netjes terug op de plek waar het had gelegen, en opende toen de tweede la.

Allemaal zooi over gehoorsimplantaten, geprint vanaf internet, bladzijden en bladzijden met roze marker gehighlight. Eronder lag een brief van de bank over het herfinancieren van de hypotheek. Daar had ik nooit van gehoord, maar het zag er heel officieel uit. Ik had het gevoel dat ik iets op het spoor was en nam in de studeerkamer met geweld plaats op Sophs schoot.

'Ga van me af!' riep ze uit. Ik ging nog steviger zitten en nam de computer van haar over. 'O, Zoe, je bent hartstikke zwaar!'

Ik kwam terecht op een forum voor mensen van middelbare leeftijd. Theemuts7 zei dat ze erover dacht het aan een nieuwe patio te besteden. Hoezo 'het'? Ik zocht verder. Een hypotheek herfinancieren bleek een manier te zijn om aan geld te komen met als onderpand je huis, voor het geval je iets heel duurs wilde aanschaffen, of als je geldproblemen had.

'Geldproblemen?' vroeg Soph terwijl ze langs me heen tuurde. 'Wie heeft er geldproblemen?'

'Wij,' antwoordde ik blij. Want het was beter dan een scheiding.

We kregen honger voordat mijn ouders terug waren, dus warmde ik de pasta op en die aten we aan de keukentafel. Toen Soph met de laatste olijf op haar bord speelde, pikte ik haar mobieltje in en rende ermee de trap op, met Soph op mijn hielen. Nadat ik mijn kamer in was gestormd en de deur op slot had gedraaid, belde ik Lauren. Soph schoof een briefje onder mijn deur door waarop in grote letters stond dat ik DOOD was, met een tekening ernaast van mij met een mes door mijn hoofd, en in het PS vroeg ze of ze mijn passer mocht lenen voor haar huiswerk. Mijn ouders kwamen terug toen ik in het lege bad aan het kletsen was met mijn voeten op de gouden kranen.

'Hier komen, Zoe!' riep mam.

'Beloof je dat ik bij jou mag komen wonen als ze me uit huis zetten?' vroeg ik Lauren.

'Tuurlijk. Dan gaan we een bedrijf beginnen om honden uit te laten en dat heet In het Honderd Lopen, omdat wij er het best in zijn.'

'Zoe!' riep mam weer.

'Ik moet hangen. Zie je morgen bij het vreugdevuur,' zei ik snel.

'Blaf eens.'

'Ik moet hangen!'

'Eerst blaffen.'

'Woef.'

Lauren lachte toen ik ophing. Op de overloop schoot er iets zilverigs op me af.

'Wat doe jij nou?' bracht ik verbaasd uit. Dot was van top tot teen in kerstslingers verpakt.

'Ik heb in de kamer van mam en pap de kerstspullen gevonden.'

Ik liet me op mijn knieën vallen en gebaarde gauw: 'Doe af. Ik had op je moeten passen.'

Dot draaide een rondje met haar armen omhoog. 'Was het maar al Kerstmis,' gebaarde ze. 'Dan komt de Kerstman. Klopt het dat hij je alles geeft wat je maar wilt?'

'Ja,' zei ik. 'Maar dan moet je wel...'

'Echt alles?' gebaarde ze terwijl ze me strak aankeek.

'Jawel. Maar dan moet je iets anders aantrekken.'

Dot wees op de twee kerstballen die aan haar oren bungelden. 'Vind je mijn oorbellen mooi?'

Ik knarsetandde. 'Prachtig. Maar doe het nu allemaal af. Mam is thuis.'

Dot sperde haar ogen wijd open, rende naar haar kamer en sloeg de deur met een klap dicht.

In de keuken stond mam de vuile borden bij de gootsteen op te stapelen.

'Heb je de afwas voor mij laten staan?' vroeg ze bestraffend.

Ik rolde mijn mouwen op. 'Sorry.'

'En ben je aan je huiswerk begonnen?'

'Nog niet.'

'Zoe!'

'Ik heb het hele weekend nog,' protesteerde ik terwijl ik water in de gootsteen liet lopen. 'En ik heb maar drie vragen voor wiskunde, en één opstel voor het schoolonderzoek Engels.'

'Schoolonderzoek? Daar heb je niks over gezegd.'

'Een kort opstel.'

'Hoe dan ook, je moet het niet afraffelen.'

'Ik zei toch niet dat ik het ging afraffelen,' mompelde ik, en ik boende de tomaten-knoflooksaus van een bord. 'Engels is mijn lievelingsvak. Ik weet heus wel wat ik doe.'

'Ik help je wel.'

'Dat hoeft niet, mam. De lerares heeft me aantekeningen gegeven. Bijna een heel schrift vol.'

Mam trok de deur van de ijskast open, op zoek naar iets te eten, toen ik het schone bord in het afdruiprek zette. 'Nou, ik kijk wel als je klaar bent. Engels is heel belangrijk in de advocatuur.'

'Engels is ook belangrijk voor schrijven,' zei ik, zo zacht dat ze het niet kon horen.

Ze haalde sla uit de ijskast en drukte op een tomaat om te voelen of die goed was. 'Zo, dit is wel voldoende, want ik heb toch niet zo'n honger.'

'Gaan pap en jij een patio aanleggen?' vroeg ik opeens.

'Een patio? Nee. Waarom vraag je dat?'

Ik begon aan een ander bord. 'Zomaar.'

De volgende dag zou het vreugdevuur worden ontstoken, en meneer Harris, misschien zit ik er wel helemaal naast, maar volgens mij hebben jullie in Amerika geen vreugdevuren op 5 november, dus daarom zal ik het een beetje uitleggen. Vier eeuwen geleden, op 5 november 1605 om precies te zijn, deden Guy Fawkes en zijn maten hun best de Houses of Parliament op te blazen om de koning om te brengen. Guy Fawkes moest het buskruit in de kelder tot ontbranding brengen, maar de moordpoging ging mis en iedereen was zo opgelucht dat ze vreugdevuren ontstaken en feestvierden. Dat is een ritueel geworden. Iedereen in Engeland doet het. Op 5 november maken ze een pop van Guy Fawkes van oude kleren met kranten erin, bijvoorbeeld *The Sun* – of *The Times* als je zijn armen en benen wat intellectueler wilt hebben – en dan mikken ze hem in de vlammen. Als je het mij vraagt is het nogal wreed dat iedereen appels met een toffeelaagje eet terwijl Guy Fawkes verbrandt voor een misdaad die hij niet eens heeft begaan, maar het is toch een leuke avond, met vuurwerk en sterretjes en de geur van rook die dagenlang in je haar blijft hangen.

Ons vreugdevuur was in een park net buiten het stadscentrum, dus stelt u zich maar grote stukken gras voor, en fiets- en wandelpaden, en bomen en een woeste rivier. Toen pap me afzette bij het hek, rook ik de vrijheid. En natuurlijk hotdogs, rook en suikerspinnen, als ik alles accuraat moet beschrijven, maar vooral de vrijheid.

Het vuur was midden in het park: oranje, rood en bewegend geel. Een menigte ging eropaf als motten op de vlam, en ik hoorde erbij en sloeg voor het eerst in weken mijn vleugels uit. Lauren zat op een bankje, en ik besloop haar, porde haar in haar zij en riep: 'Boe!' En zij vloekte heel erg hard: 'FFFFFFFFFFFFF.' Het echode in alle lege plekken omdat er zoveel was, een heel universum zelfs, klaar om te worden ontdekt. Ik plofte naast haar neer en we kletsen eindeloos terwijl we suikerspinnen verorberden en het vuur de avond een gouden glans verleende.

Van al die suiker kreeg ik dorst, dus liep ik weg bij Lauren, die het bankje moest bewaken, en ging op zoek naar water. Er waren vrouwen die t-shirts verkochten, anderen die sieraden verkochten en mannen die speelgoedjes verkochten, allemaal in kraampjes langs de rivieroever. Het water stroomde en de rook kolkte en de verkopers riepen, terwijl ik zocht naar een kraampje waar je iets te drinken kon kopen. Een man met een baard hield een rode Ferrari op – met andere woorden, de auto waar pap van droomde – dus kocht ik die omdat hij zich zo'n zorgen maakte over opa.

Toen ik de man het geld overhandigde, zag ik de Jongen met de Bruine Ogen bij de gloeiende rand van het vuur. Ik weet overigens best dat ik hier de spanning had kunnen opbouwen, vooral omdat we bij Engels hebben geleerd hoe dat moet: met korte zinnetjes, pauzes en aanwijzingen dat er iets staat te gebeuren. Meneer Harris, het probleem is dat dit het echte leven is en geen fictie, daarom wilde ik beschrijven wat er echt gebeurde. In het echte leven bouwt niets zich netjes op tot de climax; dingen gebeuren zomaar ineens zonder enige waarschuwing, zoals die keer dat pap een hond aanreed.

In een boek zou dat ongetwijfeld een paar keer bijna zijn gebeurd om de lezer voor te bereiden op wat komen gaat, en misschien zou er zelfs geblaf hebben geklonken net voordat pap om de hoek scheurde om de lezer erop voor te bereiden dat er iets akeligs stond te gebeuren. In het echte leven reed pap van de supermarkt naar huis, de zon scheen en 'Dancing Queen' kwam ineens op de radio net op het moment dat hij over een verkeers-drempel reed die een herdershond bleek te zijn. En zo ging het ook bij het vreugdevuur. Er werd niets opge-bouwd. Er was geen waarschuwing. Het ene ogenblik draaide ik me weg van het kraampje en het volgende stond ik tegenover hem, de Jongen met de Bruine Ogen. Zomaar ineens.

'Je auto.'

'Hè?'

De man stak de Ferrari naar me toe. 'Je auto.'

Ik stopte hem in mijn zak zonder mijn ogen van de jongen af te wenden. Hij droeg een T-shirt met witte letters erop en staarde in de vlammen terwijl hij ongetwijfeld dromerig dacht aan iets heel belangrijks. Ik stelde me voor dat er een gedachtewolkje boven zijn hoofd hing en dat ik daar – *plons* – in dook. Ik vergat mijn dorst. Ik vergat Lauren. Met bonzend hart snelde ik naar het vreugdevuur; ik duwde mensen uit de weg, ik wrong me langs een vader met een klein meisje op zijn schouders en langs een vrouw met een poedel in zo'n jasje met Schotse ruiten.

Vonken vlogen omhoog, oranje dingetjes die boven de vlammen zwart werden.

'Zal ik hem erin gooien?' riep iemand. De menigte juichte. Een man hield een Guy Fawkes-pop met een

Halloween-masker op. De benen waren in een zwarte broek gehuld en zijn armen staken uit een oude trui. 'Zal ik hem erin gooien?' riep de man, nog harder. Het kleine meisje klapte in haar handjes. De poedel kwispelde.

De Jongen met de Bruine Ogen keek geeuwend weg. Ik schuifelde naar voren om mijn aanwezigheid duidelijker kenbaar te maken, en toen hield de man de Guy Fawkes bij een arm en een been en zwaaide de pop naar het vuur. Het hoofd raakte de vlammen, en ik vertrok mijn gezicht en de menigte juichte.

'Eén...' Iedereen probeerde het beter te zien. 'Twee...' Iedereen ging mee aftellen. 'Drie!' Het vuur siste. Guy Fawkes vloog door de lucht. En net toen de pop in de vlammen verdween, draaide de jongen zich af en keek me recht in het gezicht.

Op zijn t-shirt stond: RED GUY FAWKES. Vijf tellen staarden we elkaar aan; toen glimlachte de jongen.

'Hoi.'

Dat ene woord deed me wegzweven. Het vreugdevuur verdween. De mensen verdwenen. Alleen ik en de jongen waren er, en onze ogen straalden tot in het midden van het universum.

'Leuk t-shirt,' zei ik uiteindelijk. 'Ik vind het ook zielig voor Guy Fawkes.'

'Ook al is hij een slechterik?'

'Guy Fawkes had zo zijn redenen. Misschien waren het wel goede redenen.'

De ogen van de jongen fonkelden. 'Goede redenen om slechte dingen te doen. Interessant.'

'Heel interessant.' De kabel tussen onze hersenen was roodgloeiend. Ik keek blozend weg. Ergens heel ver weg smolt het masker van de pop.

'Niks beters dan een fikse fik om mensen tot elkaar te brengen,' merkte de jongen grijnzend op. 'Misschien moeten we de poedel er ook eens in mikken.' Ik lachte, omdat de hond blafte, een woeste wolbaal in Schotse ruiten. De jongen schudde zijn hoofd. 'Misschien is het een Schotse hond. In dat geval treft de eigenaar geen blaam. Hoe heet je?' vroeg hij ineens. Deze keer vertelde ik hem dat. De twee lettergrepen voelden nieuw en glanzend op mijn lippen. 'Beter dan Vogelmeisje,' zei de jongen. 'Want zo noemde ik je in gedachten na het feest. Of ook wel Muizenval.' Mijn hart sloeg over. Hij had aan me gedacht.

'Jij heet zeker ook niet: de Jongen met de Bruine Ogen?'

'Dat is een van mijn voornamen. Mijn roepnaam is Aaron.'

Voordat ik iets kon zeggen verscheen er opeens een hand op Aarons arm.

'Hoi!' zei een meisje. Door dat ene woordje kwam ik weer neer op aarde. Ze had lang rood haar, de kleur van vuur. Een zwarte jas, de kleur van kolen. Een lach voor Aaron die ik nog voor me zag toen die allang was verdwenen.

'Hé, je bent er!' zei hij terwijl hij het meisje omhelsde. Ze keek over zijn schouder; ze had een bleke huid met precies het juiste aantal sproetjes, en een rechte neus waar elke plastisch chirurg trots op zou zijn.

'Ik moet met je praten,' fluisterde ze in zijn oor, met haar vingers achter in zijn nek.

'Oké,' zei hij, en dat was precies het tegenovergestelde van wat ik had gewild dat hij zou zeggen, maar ik deed mijn best op een nonchalante manier te glimlachen, terwijl hij zich verontschuldigde voordat hij dichter naar de hitte stapte voor een persoonlijk gesprek.

Ik keek op mijn horloge. Kwart over negen. Over vijfenveertig minuten zou mam me komen ophalen.

Vierenveertig minuten.

Drieënveertig minu...

'Daar ben je! Ik dacht dat je was vermoord of zo.' Lauren kwam naast me staan, en ze zag er nors uit. 'Waar was je nou?'

Ik stak mijn handen uit naar het vuur en deed of ik rilde. 'Ik had het gewoon koud.'

'Vertel mij wat. Ik bevries bijna. En ik ga bijna dood van de dorst, daarom heb ik het bankje opgegeven. Ik had er wel mijn tas op gezet, maar toen kwam er een ouwe kerel en die zei dat je een bankje niet kan reserveren en hij ging maar door over zijn vrouw die dringend moest zitten.'

'Best schattig.'

'Eerder gestoord. Hij was in zijn uppie, dus denk ik dat hij zo iemand is die dingen ziet die er niet zijn. Necrofiel of zoiets.'

Ik verborg een lachje. 'Schizofreen, bedoel je.'

'Hè?'

'Schizofreen. Een necrofiel is iemand... Nou ja, dat wil je niet weten.'

Ik staarde naar Aarons rug. Veertig minuten voordat mam zou komen.

Lauren trok aan mijn arm. 'Kom nou mee.'

'Waarnaartoe?'

Ze schuifelde met haar voeten. 'Ik heb dorst.'

Aaron hielde de handen van het meisje tussen de zijne en zijn ogen waren strak op haar gezicht gericht.

'Oké,' zei ik, en ik wendde me af van het vuur. Ik voelde me kil vanbinnen, en dat had niets te maken met de verdwijnende vlammen.

In de rij praatte Lauren honderduit, en ik weet niet precies wat dat betekent, maar meneer Harris, als u zich voorstelt dat ze honderd tongen in haar mond had, krijgt u er waarschijnlijk een goed beeld van. Ze ging maar door over een jongen een klas hoger met wie ze op Max' feest had gezoend, en ik deed mijn best me erop te concentreren, maar dat was lastig met Aaron in de verte die zijn arm om het meisje heen had geslagen.

Lauren kocht een flesje water, en net op dat moment ging er vuurwerk de lucht in. De menigte deed van oooh en aaah. Zonder erbij na te denken pakte ik haar bij de arm en tegelijkertijd lieten we ons op de grond vallen en keken vanaf het gras naar het vuurwerk. Ik wees naar een paar blauwe vonken.

'Net kikkervisjes.'

'Eerder spermatozoïden,' reageerde Lauren. We lachten allebei, omdat het waar was: de blauwe vonken kropen door de lucht alsof het een wedstrijd was om de maan te bevruchten. Lauren deed het met haar hand na. 'Zwemsperma.'

Er verscheen een gezicht boven ons. 'Leuk.'

Blond haar. Bruine ogen. Het vuurwerk ontplofte achter zijn hoofd en mijn hart ontplofte in een groot waas van rood. Aaron.

Lauren hield haar hand oven haar ogen. Ik knipperde en keek eens goed. De jongen van een klas hoger stak zijn hand uit en trok Lauren overeind. Teleurgesteld ging ik ook staan.

'Ik was naar je op zoek,' zei hij. 'Zullen we langs de rivier gaan lopen?'

Lauren haakte bij me in. 'Alleen als Zoe mee mag.'

'Maak je om mij maar niet druk,' zei ik, en ineens had ik behoefte aan alleen zijn. Er waren meer mensen bij het vuur komen staan, maar Aaron en het meisje waren uit het zicht verdwenen. Lauren bestudeerde de uitdrukking op mijn gezicht. Ik sperde mijn ogen wijd open en keek vastberaden. 'Echt hoor, ik red me wel. Bovendien komt mijn moeder me toch over tien minuten halen.' De jongen trok aan Laurens hand, en toen ze me een zoen op mijn wang gaf, tuitte het in mijn oor.

Het vuur bulderde. Van de rook gingen mijn ogen tranen en de hitte prikte op mijn huid. Ik ging terug naar het bankje om de ouwe kerel tegen de lucht te zien praten. Dat was treurig, maar ook weer niet, want hij zag er best gelukkig uit terwijl hij zijn onzichtbare vrouw vertelde hoe vuurwerk werd gemaakt, met veel details over hoe de verschillende kleuren tot stand kwamen, en meneer Harris, ik vraag me af of u weleens iets tegen Alice zegt, en wat u dan zegt als ze in uw cel door de tralies verschijnt en bij het peertje blijft zweven. Misschien biedt u haar uw excuses aan, en ik hoop dat ze die aanneemt, want goed beschouwd was het allemaal eigenlijk haar schuld.

Hele gezinnen gingen samen weg, en stelletjes zaten dicht bij elkaar bij het vuur, en zelfs de ouwe kerel had iemand om tegen te praten, en wat maakte het uit dat die iemand in zijn hoofd zat en niet echt was? Ik slofte naar de parkeerplaats en ging daar tegen een muur leunen. In de verte gloeide een kerkklok in een kerk-toren, en ik zuchtte eens diep. Nadat ik het gevoel had gekregen dat ik op de vlucht was, was er ineens te veel tijd. Twintig minuten met niets om te doen, behalve...

Stemmen!

Een jongensstem. En een meisjesstem.

Ik schoof langs de muur totdat ik verscholen was achter een struik, en keek naar Aaron, die de parkeerplaats op liep, gevolgd door het meisje met het lange rode haar. Mijn maag draaide zich om. Ze gingen samen weg, op hun gemak, met hun armen om elkaar heen. Onder een straatlantaarn stond een oude blauwe auto met drie wielen, een gebutst dak en een nummerplaat waar DOR1S op stond. Ik tuurde door de bladeren. Aaron opende het portier aan de passagierskant en drukte een kus op het haar van het meisje toen ze instapte.

Weer draaide mijn maag zich om, want er was geen hoop meer.

Meneer Harris, u verwacht nu zeker dat ik de struik ging schoppen, begon te huilen of de parkeerplaats op rende om een scène te trappen. Nou, sorry dat ik u moet teleurstellen, maar ik bleef heel rustig stilstaan. Het enige wat ik deed, was met mijn hand een spinnenweb kapottrekken. De ene helft bleef aan de muur zitten en de andere helft bungelde aan een tak, en dat was het enige bewijs dat ik me vanbinnen kapot voelde.

Het autoraampje besloeg. Ik wilde niet denken aan wat er daarbinnen gebeurde – ik bedoel, we hebben allemaal *Titanic* gezien, of u misschien niet, dus stel u maar een hand voor die drukt tegen glas waar adem, zweet en passie vanaf druipt. Ik deed mijn best niet te worden gezien en ging weg bij de muur. Alles deed me pijn, het was koud en kil, en zelfs de sterren leken akelige, scherpe stukjes wit in al dat zwart. Terwijl ik terugliep naar de kraampjes, sloeg mijn voet dubbel op een steen en ging ik door mijn enkel. Het lawaai dat ik maakte, verraste me, want zo pijnlijk was het niet eens.

'Zoe?' Er kwam een gestalte op me af, weg van het vuur, een zwart silhouet afgetekend tegen het oranje. Ik kneep mijn ogen tot spleetjes. Het was Max, met een blikje bier in zijn hand. Hij had sinds de dag van de foto een paar keer geprobeerd mijn aandacht te trekken, maar ik had hem genegeerd. Dat kon nu echter niet. Hij stond pal voor me. 'Gaat het?'

'Jawel. En met jou?'
'Ik heb het koud.'

Stilte.

Ik bewoog mijn voet, ook al deed mijn enkel geen pijn, en zocht naar iets om te zeggen. 'Het is altijd kouder als er geen wolken zijn. Minder isolatie. Dat doet me denken aan schapen,' zei ik.

Max nam een slokje uit zijn blikje. 'Hè?'

'Schapen. Je weet wel. Wolken zijn zo'n beetje de vacht van de aarde. Warmer en zo. Maar als het helder is, is het alsof de aarde is geschoren...' Ik zag de verwarde uitdrukking op Max' gezicht en schudde mijn hoofd. 'Ach, het is stom.'

Hij nam nog een teug. 'Nee, hoor.'

Weer stilte. Een vuurpijl barstte boven ons hoofd uit in sterren. We staarden er veel te lang naar, toen naar elkaar en vervolgens naar de grond. Max schraapte zijn keel.

'Het spijt me, weet je,' zei hij terwijl hij tegen een steentje schopte. Ik was verrast dat het zo oprecht gemeend klonk. 'Ik had dat niet moeten doen.'

'Inderdaad.'

Hij schopte het steentje weg en sloeg zijn armen over elkaar. 'Ik heb de foto gewist. Dat was niet makkelijk...'

'Was je vergeten welke knopjes?'

Daar glimlachte hij om. Een beetje scheef. 'Nee, het was niet makkelijk omdat je er zo goed uitzag.'

'Ja?' vroeg ik, en ik deed mijn best achteloos te klinken. 'Dat is iets heel anders dan wat je eerst zei.'

'De Machtige Max Morgan heeft weleens eerder gelogen.'

Tegen mijn wil grijnsde ik toen hij zijn blik naar mijn borst liet dwalen.

'Echt hoor, je zag eruit...'

'... alsof ik aangeschoten was,' vulde ik aan, en mijn hart ging sneller slaan. 'Heel erg aangeschoten. Ik heb bijna over het kleed heen gekotst.'

'Ik heb wel over het kleed heen gekotst,' vertelde Max. 'Toen je weg was, heb ik over het kleed heen gekotst. Tenzij het jouw kots was...'

'O nee!' riep ik uit.

Max zwaaide met zijn vinger. 'Ik denk dat je zit te liegen.'

'Denk maar wat je wilt,' reageerde ik, en dat was opmerkelijk – ik bedoel, ik wist niet dat je over kots kon flirten.

De sterren leken vriendelijker. Zachter. Eerder goudkleurig dan wit, en het zwart van de hemel was een beetje blauwig. Max nam een laatste slok en wiep zijn bierblikje daarna in een vuilnisbak. Daar ging hij tegenaan leunen, met de enkels over elkaar. De veters van zijn sportschoenen slierden door de modder.

'Nou, ben je nog pissig?' vroeg hij na een poosje. Een vuurpijl schoot de lucht in. Allebei keken we naar de zilverkleurige vonken. En toen keken we naar elkaar. En deze keer keek ik niet weg.

'Tuurlijk,' zei ik. 'Je was een halvegare idioot.'

'Een halvegare idioot met wie je eerst had gezoend.'

'Een halvegare idioot die misbruik van me maakte toen ik aangeschoten was,' reageerde ik, maar ik zette wel een stap naar voren.

Max legde zijn hand op zijn hart. 'Het zal niet weer gebeuren. Echt niet. De volgende keer dat je topless bent zweer ik dat ik niet...'

'De volgende keer?' riep ik uit terwijl ik nog dichterbij kwam. 'Waarom denk je dat er nog een keer komt?'

'Dat denk ik gewoon,' fluisterde Max, en hij trok me tussen zijn benen en kuste me stevig.

Niet stevig genoeg. Ik legde mijn hand op zijn achterhoofd en dwong onze monden dichter tegen elkaar, en om onbekende redenen dacht ik aan glas waar adem, zweet en passie vanaf droop. Max liet zijn handen onder mijn topje gaan, over mijn heupen naar mijn rug, zijn vingers koud op mijn ruggengraat. Ik speelde met mijn tong tegen de zijne, drukte me tegen hem aan, en zijn been verdween tussen die van mij. De wrijving daar voelde fijn, en ik welfde mijn rug zoals die nog nooit had gewelfd, net die van een kat. Een mond dwaalde van mijn lippen naar mijn wang en naar mijn hals, en vingers kropen over mijn ribben omhoog naar de onderkant van mijn beha. In mijn beha. Ik slaakte een kreetje toen sterke handen knepen, en mijn hoofd viel achterover en mijn ogen openden zich en zagen vuurwerk in de lucht ontploffen. Mijn lichaam zinderde en mijn bloed stroomde snel, maar mam was onderweg, dus dwong ik mezelf me los te draaien.

'Niet hier.' Dat klonk erg hijgerig. Max trok me naar een verlaten kinderspeelplaatsje. Ik zette mijn hakken in het gras. 'Niet vanavond. Mijn moeder staat waarschijnlijk op de parkeerplaats te wachten.'

'Morgen dan?' vroeg hij. Ik aarzelde, omdat ik wist dat

ik nooit zou mogen. 'Of de dag daarop?' Hij klonk zenuwachtig. Max Morgan, zenuwachtig vanwege mij. Lauren zou het nooit geloven.

Ik haalde mijn schouders op, want ik kon de verleiding niet weerstaan. 'Ja, waarom niet?' Hij kuste me weer, zachter deze keer, maar ik trok me terug. 'Straks kom ik nog te laat.' Kreunend pakte Max mijn hand. Het beeld van mam achter het stuur rees in me op. 'Je hoeft me niet naar het parkeerterrein te brengen. Heus niet.'

'Och, ik ga toch weg.'

Ik liet zijn hand los. 'Ga jij dan maar eerst. Mijn moeder is een beetje...'

'Humeurig? Zit zeker in de familie.' Max lachte zelfgenoegzaam toen ik hem een por gaf. We liepen een eindje en bleven toen stilstaan bij een boom. Max tuurde naar het parkeerterrein. 'Als je morgen niks van me hoort, moet je een ambulance laten komen. Ik krijg een lift naar huis van mijn broer. Alleen heeft hij pas een paar weken geleden zijn rijbewijs gehaald. Meteen de eerste keer geslaagd natuurlijk. Ik geloof niet dat hij ooit ergens voor is gezakt. Maar dat wil uiteraard niet zeggen dat hij goed kan rijden. Echt hoor, zeg maar tegen je moeder dat ze heel voorzichtig moet zijn.'

Glimlachend keek ik hem na terwijl hij langs de Mini van mam rende, langs een jeep, en toen rechtstreeks naar de auto die onder de straatlantaarn stond.

Een oude blauwe auto met beslagen raampjes.

Ik boog me naar voren toen Max het achterportier opende, instapte en op de achterbank achter Aaron ging zitten.

Nou, meneer Harris, er bestaat zoiets als verstomd staan, en ik was dus verstomd toen ik naar mams auto liep. Ik was nog verstomd toen we thuis waren en ik een mok te sterke thee zette doordat ik het theezakje er aldoor in liet zakken en er weer uit haalde, en ik mijn best deed het te bevatten. Broers. Bróérs. Misschien had ik het kunnen zien aankomen. Ze hadden dingetjes gemeen, en Aaron was op Max' feest geweest, ook al was hij een paar jaar ouder dan alle anderen. Maar toch. Veel aanwijzingen waren er niet geweest.

De damp kwam uit mijn mok terwijl ik op de grond kleine slokjes nam en me afvroeg of de broers een goede band hadden, of ze op dit moment in de keuken zaten te kletsen, of ze een boterham smeerden of zo. Ik deed mijn best uit te maken of ze er hetzelfde op deden of niet, zoals Max die er ham op deed, maar Aaron die liever kaas had, en zou het roodharige meisje tonijn willen, waarvan haar adem naar vis zou gaan stinken? Ik zou er heel wat voor overhebben om er ongezien bij te kunnen zijn, bijvoorbeeld als een vlieg op de muur.

Er zit nu een vlieg op de muur die alles zou kunnen zien. Nou ja, een zwart vliegje zit vast in het spinnenweb op de vensterbank; het zit vast en kijkt de tuin in, terwijl het zich waarschijnlijk afvraagt wat er met zijn vrijheid is gebeurd. Wanneer de zon opkomt, heeft de spin hem vast al opgegeten. Aan de lucht te zien wordt het vast al gauw licht, dus ik kan maar beter naar binnen gaan voordat mam wakker wordt. Nu de klok is teruggezet, wordt het een uur eerder licht, en dat is vast een troost voor je, Stuart. Ook al moet je je avondeten in het donker eten, je ontbijt krijg je in de zonneschijn, en ik hoop dat die warm voelt op je huid.

Van
Zoe x

Fictiepad 1
Bath

14 november

Hoi Stuart,

Veroordeel me niet, want het was niet mijn schuld, en ik zou nooit hebben ingestemd als mam niet achterdochtig was geworden. Toen ik uit school kwam, was ze aan de telefoon. Vraag niet hoe ik wist dat ze met Sandra praatte; ik wist het gewoon, en ze maakte van die geluidjes – 'aha, hm, aha' – en toen hing ze op en zei dat we bij Sandra thuis koffie gingen drinken.

Uiteraard kwam ik in opstand. 'Ik vind koffie niet eens lekker!'
    'Waar maak je je toch zo druk om?' vroeg mam met haar ogen tot spleetjes geknepen, alsof ze probeerde met een onderzoekende straal in mijn hersens te gluren. 'Ik dacht dat het je goed zou doen haar eens te zien. Ze zou het zeer op prijs stellen, dat weet ik. Je mag haar toch graag?'
    'Jawel, alleen... Ik heb gewoon keelpijn.'
    Mam stopte een paar keelpastilles in mijn mond en

duwde me toen het huis uit. Een kwartier later zat ik voor het eerst sinds de begrafenis weer in Sandra's kleine serre.

'Kom je wel buiten?' vroeg mam.

'Een beetje,' antwoordde Sandra. 'Af en toe.' Pap had niet gelogen over haar gewicht. Ingevallen gezicht. Uitstekende sleutelbeenderen. Schriele armen. Haar haar was ook anders. Vroeger was het zwart met lokjes mahonie, in laagjes geknipt, maar de kleur was vervaagd en haar kapsel uitgegroeid. 'Ik doe mijn best bezig te blijven.'

'Goed idee,' zei mam. 'Dat is het beste: de tijd vullen.'

'Ik had nooit beseft dat er zovéél is,' mompelde Sandra. 'Uren. Ik ben me van elke minuut bewust.'

De zon kwam kijken en scheen op het fonteintje in de tuin. Ik zag Max voor me die met zijn vingertopje tegen de vleugels van een dode mot duwt. Ik knipperde met mijn ogen om dat beeld weg te krijgen, maar het kwam duidelijker terug, en toen keek Aaron op naar de uil, en toen kwam Max' hand op mijn bovenbeen, en toen keek Aaron aandachtig naar mijn huid, mijn lippen, mijn vormen, en mijn hart sloeg heel snel en mijn maag draaide zich om, en ik stond net op het punt te gaan kokhalzen toen Sandra vroeg: 'En hoe is het met jou, Zoe?' Ik vertrouwde mezelf niet genoeg om iets te kunnen uitbrengen.

'Het gaat niet goed met haar,' zei mam. 'Haar schoolwerk lijdt eronder.'

'Nou ja, ze waren immers heel close, toch?' zei Sandra, en Stuart, dat was zo'n retorische vraag die niet hoeft te worden beantwoord. 'En dan ineens wordt alles zomaar afgekapt...'

Plotseling stond ik op.

'Gaat het, Zoe?' vroeg mam. Mijn handen jeukten, de kamer was te klein en mijn schooldas zat te strak. Ik trok eraan, maar de knoop zat te stijf. 'We kunnen maar beter eens opstappen,' zei mam gauw. 'Ze voelt zich niet lekker. En de andere twee meisjes zijn bij de buren. Dank je wel voor de koffie.'

Sandra stond ook op, met een bezorgde uitdrukking op haar gezicht. Het was pijnlijk om naar haar te kijken, dus keek ik maar naar de lucht toen Sandra mijn hoofd naar zich toe trok.

'Ik weet wat je doormaakt,' zei ze terwijl ze me dicht tegen zich aan hield. 'Echt waar. Je mag hier altijd langskomen.' Zachtjes duwde ze me weg en legde haar hand tegen mijn wang. 'We kunnen elkaar helpen.' Ik balde mijn vuisten. Ik klemde mijn kaken op elkaar. En net toen ik dacht dat ik haar vriendelijkheid niet meer kon verdragen, was de hand verdwenen en liep Sandra naar de deur op oude sloffen waarvan de naden loskwamen. Bij een foto aan de muur bleef ze staan. 'Had je dit al gezien?'

Een zilveren lijst.

Ik in een blauw jurkje, mijn gezicht blozender dan gebruikelijk.

En naast me Max en Aaron, grijnzend ieder aan een kant van me, op het Lentefeest.

Op de achtergrond scheen licht van de botsauto's. Rook van de hotdogkraampjes hing in de lucht. In de hoek stond de datum: 1 mei.

'Is dat...' begon mam.

'De laatste foto die van hem is genomen, ja.' De kleur verdween van mijn wangen. Ik voelde het; het roze droop in mijn hals alsof er schmink met koud water werd afgespoeld. 'Het is mijn lievelingsfoto,' zei Sandra. 'Hij ziet er zo gelukkig uit. Jullie allemaal, trouwens.' Ze wreef met haar duim over onze drie gezichten, en Stuart, dat is het moment dat ik naar buiten rende en overgaf bij de boom.

Van
Zoe x

Fictiepad 1
Bath

29 november

Hoi Stuart,

De hagel klettert op het dak, en als je in Texas nooit dit
soort weer hebt, stel je dan maar voor dat de hemel het
vriesvak leegt. De spin vraagt zich vast af wat er in
's hemelsnaam gebeurt. Ze staat op gitzwarte poten
midden in haar lege web, en ik heb het rare gevoel dat
ze naar me kijkt. Waarschijnlijk vanwege mijn outfit.
Paarse wollen muts en sjaal over mijn ochtendjas, en
aan mijn voeten mams wandelschoenen. Die trof ik
allemaal hier aan, dus zal Dot wel ontdekkingsreizigertje
hebben gespeeld, want zij gebruikt dit schuurtje als
huisje. Ik heb paps jas als een soort sprei over mijn
benen gelegd, en daaronder voel ik me veilig, be-
schermd tegen de regen, de wind, de verdwijnende
hand en ook tegen Sandra's gegil, want daar droomde ik
vannacht voor het eerst van.

Ik zou wel alles willen doen om te vergeten. Alles. De
spin opeten, in mijn blootje boven op het schuurtje

staan, of de rest van mijn leven wiskundehuiswerk maken. Wat er ook nodig is om mijn brein te wissen zoals met een computer kan, gewoon op een toets drukken om alles te wissen: de beelden, de woorden en de leugens, waarmee ik het volgende deel van mijn verhaal ga beginnen.

<u>DEEL V</u>

De dag na het vreugdevuur zou Max me bellen. Mijn haar stonk nog naar rook, er vlogen vlinders in mijn buik, en om heel eerlijk te zijn ging elke keer dat mijn mobiel geluid maakte mijn hartslag in een mum van tijd van nul naar zestig, precies zoals de Ferrari die ik voor pap had gekocht. Gek genoeg hadden we het net over auto's toen we aan de keukentafel zaten te lunchen, en als je het wilt weten: die lunch bestond uit biologische worstjes en aardappelpuree.

'Vanavond beginnen ze weer met *Top Gear*,' zei ik tegen pap, en ik doelde op het tv-programma over auto's waar hij zo dol op is. 'Om negen uur.'

'Geweldig,' zei pap, maar heel erg enthousiast klonk hij niet. 'Zal ik dan nu maar?' vroeg hij aan mam.

Ze nam een slokje water en zei: 'Als je vindt dat het moet.'

Pap legde zijn vork neer en verschoof zijn bord, zodat het precies midden op de placemat stond. 'We hebben jullie iets te vertellen,' gebaarde hij moeizaam. Dot kneep grote klodders ketchup op haar bord. Ik tikte haar op haar knie en wees naar pap. Schuldig keek ze op, maar toen merkte ze dat niemand boos op haar was en kneep ze nog eens in de fles. Over de tafel sprietste rood.

'Stomkop,' mopperde Soph.

'We hebben jullie iets te vertellen,' gebaarde pap zonder op de zooi te letten. 'Iets belangrijks.'

'We willen niet dat jullie je zorgen maken,' voegde mam eraan toe, maar de diepe frons in haar voorhoofd weerlegde haar woorden.

'Gaan jullie scheiden?' vroeg Soph met een stukje worst op weg naar haar mond. 'Omdat jullie zoveel ruzie maken?' Pap en mam wisselden een schuldige blik.

'Zó erg ruziën we niet,' zei mam.

'Wat is er?' gebaarde Dot, want ze was zich wel bewust van de gespannen sfeer, maar het gesprek kon ze niet volgen. Haar vingers zagen rood van het ketchup opvegen.

'Pap en mam gaan scheiden,' gebaarde Soph. Dot sloeg haar handen voor haar mond, en haar mes en lepel vielen kletterend op tafel.

'Sophie!' snauwde pap. 'Dat hebben we niet gezegd.'

'Waarom gaan jullie scheiden?' gebaarde Dot gedreven, haar gezicht vol ketchup. 'Heeft pap gesekst met een andere mevrouw?'

'Wat? Nee!' antwoordde mam.

'We gaan niet scheiden,' zei pap. 'Ik ben alleen mijn baan kwijt.' Mijn mond viel open. Met geldproblemen was ik bekend, maar dit kwam als nieuws. Dot trok aan mijn mouw. Daar zaten nu ook rode vlekken op.

'Pap is zijn baan kwijt,' gebaarde ik terwijl ik mijn best deed het te geloven. Opgelucht haalde Dot adem en pakte haar bestek weer op.

'Ben je ontslagen?' vroeg Soph. 'Waarvoor? Heb je een hoop geld voor het advocatenkantoor verloren?'

'Heb je je baas gesekst?' gebaarde Dot.

Pap ademde diep in. 'Ik ben niet ontslagen. De prak-
tijk is samengegaan met een andere, en ik was boven-
tallig.'

'Wanneer ga je een andere baan nemen?' vroeg Dot
met snelle gebaren. 'Morgen? Of overmorgen? Of over-
overmorgen?'

'Dat weet ik niet,' bekende hij, terwijl Dot ketchup
door de aardappelpuree roerde en er toen toefjes van
rond haar bord legde.

'Niet met je eten spelen!' gebaarde mam.

'Het zijn wolken,' verklaarde Dot.

'Wolken zijn niet rood,' gebaarde Soph.

'Het is zonsopgang,' gebaarde Dot uitdagend terug.
'De zon komt op op mijn bord en het worstje vindt het
prachtig.' Ze sneed een lachend mondje in het worstje.

'Je maakt er een knoeiboel van,' gebaarde mam.

'Een prachtige knoeiboel.' Dot straalde. Ze draaide
haar bord om het mam te laten zien. Het worstje lag
op zijn rug naar de ketchupwolken te lachen.

'Heel mooi,' zei mam. 'En eet nu je eten op als een
brave meid.'

Pap stond op om de overige worstjes rond te delen.

'Er komt wel iets. Er zijn hier veel advocatenpraktijken, en ik heb al rondgebeld. Misschien zitten
we een poosje krap, maar we redden ons wel.'

'En anders herfinancieren we de hypotheek,' opperde
ik. Daar had mam niet van terug. 'Een beetje geld
vrijmaken,' ging ik verder terwijl ik wijs knikte.

'Ja.' Pap klonk onder de indruk. 'Precies. Of mam kan
weer gaan werken.' Hij zei het zonder erbij na te denken,

terwijl hij een worstje op haar bord liet ploffen. Mam sperde haar groene ogen zo wijd open dat je het wit overal om de iris kon zien.

'Geen sprake van!'

'Maar...'

'Geen sprake van,' herhaalde mam. 'Mijn werk is hier in huis. Hier. Met de meisjes. Jij bent je baan kwijt. Ga jij maar een andere zoeken.'

Pap staarde mam aan. Mam keek kwaad naar pap. Sophie en ik keken elkaar aan. Alleen Dot at gewoon door, en ze bewaarde het lachende worstje voor het laatst. Dat pakte ze met haar vingers op en ze hield het voor haar gezicht. Ze zwaaide plechtig als om afscheid te nemen en beet er toen het hoofd af.

Na de lunch belde Max niet en hij belde niet toen ik die avond in bad zat. Ik ging in mijn kamer op de grond liggen om in pyjama een vergeefse poging te doen mijn huiswerk Frans te maken, en ik drukte op toetsen van mijn mobieltje om te kijken of er nog wel leven in zat. Ik slaakte een gilletje toen het geluid gaf.

Een bericht!

Ik ging op mijn rug op al die Franse werkwoorden liggen die ik voor het proefwerk morgen moest leren. Leven. Liefhebben. Lachen. Sterven.

Morgen na school bij mij?

Ongelooflijk. Echt ongelooflijk. Ik knipperde met mijn ogen en las het bericht toen nog eens. Ja. Daar was het: een uitnodiging voor bij Max Morgan thuis. Speciaal voor mij. Ik wilde het mobieltje uit het raam steken en de boodschap naar de lucht laten stralen. Maar ik keek naar de lampenkap terwijl ik nadacht over een ideaal antwoord. Ik bedoel, begrijp me niet verkeerd, maar het was nee, Stuart. Dat moest wel. Mam zou me nooit naar het huis van een jongen laten gaan, nooit ofte nimmer. Maar hoe moest ik dat onder woorden brengen? Noem me maar oppervlakkig, maar ik wilde niet dat Max zijn interesse in me verloor, ook al gaf ik de voorkeur aan zijn broer.

Ik tikte iets in. Ik deletete het. Ik tikte iets anders in. Dat haalde ik ook weg. Ik scheurde een lege bladzij uit mijn Franse schrift en na tien minuten schrijven had ik een antwoord waar ik wel tevreden mee was, plus zeventien handtekeningen en waarschijnlijk een tekening van een konijn met enorm grote tanden, oftewel het enige wat ik kan tekenen.

In het bericht stond dat ik het druk had, maar hem graag een andere keer wilde zien, en net toen mijn duim boven de toets zweefde om het te versturen, sloeg de staande klok negen.

'Pap! Pap? *Top Gear* begint!' Geen reactie. 'Pap?' riep ik nog eens, en ik liet mijn mobieltje los en stapte de gang op. Er scheen licht onder de deur van de studeerkamer door, dus deed ik de deur open. '*Top Gear* begint...' Met lege blik staarde pap naar de screensaver van de computer. Op het bureau lag een multomap, opengeslagen op een pagina vol met zijn handschrift. Holdsworth and Son. Mansons. Leighton West. Er stonden nog wel twintig andere advocatenpraktijken op de lijst, en naast de helft een kruisje.

'*Top Gear* begint,' zei ik, en ik schudde aan zijn arm.

Pap rekte zich geeuwend uit. 'Neem het maar op, Zoe. Ik kijk wel een andere keer. Ik ben nu met iets bezig.'

Ik dacht dat hij bedoelde dat hij moest werken, maar toen hij de muis bewoog, verscheen er een plaatje van een stelletje op het scherm. In een volle, rokerige ruimte was een meisje in de armen van een man gesprongen, met haar benen aan weerskanten om zijn middel geslagen en haar voeten omhoog naar het plafond gericht. Haar hoofd had ze achterovergeworpen en haar haren, die net zo bruin waren als de mijne, kwamen tegen de glimmende schoenen van de man aan. De man lachte met rimpeltjes bij zijn ogen en zijn mond wijd open terwijl hij haar in zijn krachtige armen hield.

'Opa,' zei pap. 'En oma. Kijk nou toch eens...'

'Ja,' mompelde ik. 'Absoluut.' Want ik wist gewoon dat pap had willen zeggen dat ze er zo jong uitzagen.

Het lag niet aan hun gezichten, Stuart, of aan feit dat ze niet gerimpeld waren. Het is lastig te omschrijven, maar ik denk dat het aan hun stemming lag. Hun energie. Je kon het zien aan de zweetdruppeltjes op opa's voorhoofd. En de stand van oma's hals. Het was niet gewoon dansen. Het was leven. Echt leven, zoals wanneer je je het moment voorstelt als breed en niet als lang, en twee personen die vastbesloten zijn er elke millimeter van te vullen.

'Stemt tot nadenken, hè?' zei pap.

'Absoluut,' beaamde ik, en toen vroeg ik: 'Wat denk je dan?'

'Dat het leven maar kort is. En dat het uit meer bestaat dan zitten tobben.'

'En school,' zei ik, terwijl ik op de rand van het bureau ging zitten.

Pap grinnikte. 'Leuk geprobeerd! Pas op de foto's.' Hij trok me van een stapeltje zwart-witfoto's af. 'Die scan ik in. Ik wil liever niet dat ze verbleken...'

Ik had het gevoel dat hij eigenlijk had willen zeggen: een vage afspiegeling van zichzelf worden, zoals met opa is gebeurd. 'Hoe is het nu met hem?' vroeg ik.

Pap wreef over zijn neus. 'Niet heel goed, om eerlijk te zijn. Zijn geheugen is naar z'n mallemoer. Vorige week wist hij niet meer dat hij zo had gedanst. Ik had een paar foto's voor hem meegenomen, maar die schoof hij opzij en toen vroeg hij om zijn bijbel en een kommetje aardbeigelei.'

'Wist hij niet dat hij het was?' vroeg ik terwijl de jongeman op het scherm maar bleef lachen. 'En oma dan? Herinnert hij zich haar?'

'Als een bejaarde dame, ja. Maar alles uit het verleden is weg.'

Pap klonk zo vermoeid dat ik even de deur uit glipte, om even later terug te komen met iets achter mijn rug.

'Tada! Hier, voor jou, totdat je je een echte kunt veroorloven.' Ik wachtte op een bedankje van pap, maar zijn gezicht betrok. Hij keek van de Ferrari naar de lijst met advocatenpraktijken op zijn bureau. Al die kruisen... 'Ik bedoelde niet... niet omdat je werkloos bent. Dat bedoelde ik niet...'

'Hij is geweldig,' viel pap me in de rede, en hij pakte de auto en duwde die over het bureau terwijl hij autogeluidjes maakte, maar het ging niet van harte, en dat wisten we allebei. 'Dank je wel, lieverd,' zei hij, terwijl hij de auto liet draaien bij de multomap en bij de muis parkeerde.

Pap richtte zijn aandacht weer op de foto's, met zijn kin op zijn hand. Hij klikte iets aan en voor het dansen kwam een picknick in de regen in de plaats: een jong stelletje op een plaid met nergens iets zonnigs, afgezien van hun stralende lach. Opa had zijn hand op oma's schouder en ze leunden tegen elkaar, zodat hun hoofden elkaar raakten.

'Waarom heeft mam zo de pest aan hem?' vroeg ik. 'Ik vind hem er best aardig uitzien.'

Pap schraapte zijn keel. 'Ze heeft niet de pest aan hem.'

'Wat is er dan gebeurd, pap? Ik snap het niet. Waarom mogen we hem niet zien?'

'Nou, er was...'

'Er was ruzie. Ja, dat weet ik. Op de dag dat we naar McDonald's gingen. Maar waar ging die ruzie over?'

Voor de tweede keer schraapte pap zijn keel. 'Maak je daar maar niet druk om, lieverd.'

'Maar ik wil het weten.'

Het leek er even op dat pap zou toegeven, maar toen mompelde hij: 'Sommige dingen kunnen beter in het verleden begraven blijven.'

'Wat voor dingen?' vroeg ik, me ervan bewust dat het een laatste poging was.

'Dit is niet het moment, Zoe.'

'Maar waarom al dat geheimzinnige gedoe? Waarom?'

'Hoor eens, het heeft geen zin het allemaal op te rakelen,' snauwde hij. 'Dat zou je moeder niet fijn vinden.'

'Maar waarom dan niet?' vroeg ik geërgerd. 'Wat heeft hij dan voor vreselijks gedaan?'

'Hou erover op!' Pap ontplofte. 'Echt, Zoe, je weet van geen ophouden.'

Gekwetst stormde ik de studeerkamer uit, en ik raapte mijn mobieltje op van de grond in mijn kamer. Deze keer zweefde mijn duim niet boven de toets met 'verzenden' toen ik mijn reactie las over dat ik niet bij Max thuis kon komen. Mijn duim drukte op de toets om te wissen. Als mijn ouders geheimen hadden, Stuart, dan mocht ik die ook hebben. Kwaad tikte ik twee letters:

Ja.

Van
Zoe x

Fictiepad 1
Bath

3 december

Hoi Stuart,

Het is bijna Kerstmis. Zo'n beetje. In Engeland gaan ze
in november in alle winkels kerstliedjes draaien, en op
1 december ontsteken ze in alle steden en dorpen de
kerstverlichting. Ik heb drie keer op Google gezocht,
maar ik kon niets vinden over Kerstmis in een
dodencellenblok, en toch durf ik te wedden dat je van
de bewakers geen kous mag ophangen in de cel. Ook al
staat er in de gevangenis een kerstboom, toch voelt het
waarschijnlijk niet heel feestelijk als je achter de tralies
pap eet; ik denk eerder dat je je rond deze tijd van het
jaar nog ellendiger voelt.

Dat vertelde Sandra me gisteren. Ze had weer gebeld.
De moed zonk me in de schoenen toen ik haar naam op
het schermpje zag, en om heel eerlijk te zijn wilde ik
niet opnemen, maar toen dacht ik dat ze misschien naar
huis zou bellen en met mam praten, en ons opnieuw
uitnodigen. Ik nam op toen mijn mobieltje bijna stil was,

terwijl ik van school naar huis liep onder de wenkende engelen door, en zo klinkt het net alsof Gods boodschappers me tot zich riepen, en dat zou een stuk interessanter zijn dan de knipperende kerstverlichting bij de kerk.

Sandra zei dat ze een slechte dag had. Waarschijnlijk moest ik aanbieden om langs te komen, opdat we herinneringen konden ophalen aan haar dode zoon, maar Stuart, ik zei dat ik iets moest bakken voor een taartenwedstrijd op school. Dat was het enige wat me te binnen schoot omdat ik een cake bij me had na de les verzorging.

'Een táártenwedstrijd?' vroeg ze.

Ineens raakte ik in paniek, omdat mijn gedrag zo verdacht klonk.

'Een eenvoudige taart,' zei ik snel. 'Zonder glazuur. En waarschijnlijk heel droog.'

'Succes ermee,' reageerde ze, en het klonk onzeker. 'Je komt toch nog wel langs voor de kerst, hè? Rond deze tijd van het jaar is het zwaarder. De gedachte aan hem... onder de grond, terwijl alle anderen... Nou ja, in elk geval zou ik je graag weer eens zien.'

'Ja, ik jou ook,' mompelde ik, ook al ben ik totaal niet van plan om op bezoek te gaan, niet vandaag, niet morgen, mijn hele leven niet, al duurt mijn leven voor eeuwig en eeuwig amen.

Het klinkt misschien hardvochtig, maar zo goed ken ik haar helemaal niet. Als je alle minuten bij elkaar optelt, zijn we misschien totaal twee uur in elkaars gezelschap geweest voordat ze zich tijdens de begrafenis aan mijn

arm vastklampte en ze stilletjes huilde naast de
doodskist en haar nagels zich in mijn vel boorden.
De eerste keer dat ik contact met haar had, was het
zo vluchtig dat het nauwelijks telt, en Stuart, ik zal
je daar nu alles over vertellen, dus stel je maar voor
dat ik op school ben, gek genoeg in het lokaal van
verzorging, waar ik grote moeite heb om volkorenbrood
te maken.

<u>DEEL VI</u>

Ik sloeg mijn blik op van de weegschaal om het bruine
haar in Max' nek te zien in het lokaal naast het mijne.
Mijn maag sprong op en kwam neer met een smak die
mijn hersens deed schudden. Alle redelijke gedachten
werden eruit geschud als korreltjes zout, die ik trouwens
vergeten was in het deeg te doen. Het brood was een
ramp, plat en aangebrand, en ik kon niets anders doen
dat het weggooien. Toevallig stond de vuilnisbak bij
de deur van het andere lokaal, en Max had mijn aanwezigheid zeker aangevoeld. Toen ik het brood met een
mes van het blik schraapte, keek hij op. Ik zwaaide,
maar helaas met de hand met het mes erin, en
bovendien was ik te gespannen om ook nog te lachen.
Max dacht vast dat ik met een ijzig gezicht in het raam
was verschenen, zwaaiend met een steekwapen, om
even later weer te zijn verdwenen.

Lauren vond het moeilijk te geloven.
  'Bij Max? Bij Máx thuis?' vroeg ze steeds maar, en ik
vond het fijn dat het zo bewonderend klonk. 'Ben je
vanavond bij hem thuis?'

116

'Waarom niet, dacht ik,' zei ik luchtig.

'En je moeder vindt dat goed?' vroeg ze met meel op haar schort.

'Nou, dat nou niet precies.' Ik vertelde dat ik tegen mijn ouders had gelogen over dat ik naar de bibliotheek moest om voor aardrijkskunde dingen op te zoeken over rivieren. 'Zij houden dingen voor mij geheim, dus vind ik het niet erg om dingen geheim te houden voor hen.'

'De weg naar de hel...' zei Lauren, en Stuart, ze had groot gelijk, maar ik haalde alleen maar mijn schouders op en zei: 'Met een klein leugentje doe ik niemand kwaad.'

Zodra de bel klonk, schoof ik al mijn boeken en schriften in mijn tas en ging gauw naar de fietsenstalling, waar we hadden afgesproken, en ondertussen vroeg ik me af waar ik verdomme mee bezig was. Bij Max thuis. Bij Aaron thuis... Om heel eerlijk te zijn wilde ik even hard wegrennen, maar toen was Max er ineens, en hij zag er bijna helemaal perfect uit en voordat ik het wist ging ik al achter hem aan de poort door, in de hoop dat alle meisjes het zagen.

Maar dat ze ons niet hoorden. Het gesprek was stijfjes nu Max nuchter was. Het zelfvertrouwen van bij het vreugdevuur was weggesmolten; we waren gewoon twee tieners in schooluniform die door de druilregen sjokten, er was geen vuurwerk om over naar huis te schrijven.

'Wat heb je gister gedaan?' vroeg ik toen we bij een zebrapad bleven staan en wachtten op het groene mannetje.

'Voetbal.'

'Wat was de eindstand?'

'3-2 voor ons.'

'3-2 voor jullie,' zei ik toen het groene mannetje verscheen.

'Waarom zwaai je?' vroeg Max, en ja hoor, mijn hand ging heen en weer door de lucht. Dat was een gewoonte, iets wat ik deed om Dot aan het lachen te krijgen: dag zeggen tegen het groene mannetje alsof hij echt iemand was met een echte baan, en niet gewoon een soort lamp.

'Ik jaag een mug weg.'

'Het is winter.'

'Een roodborstje dan,' grapte ik, maar Max snapte het niet.

Eenmaal bij zijn huis gekomen liepen we over het tuinpad en ik zorgde er goed voor met mijn voeten niet tegen krokodillen aan te komen. Max deed de deur van het slot, en het was helemaal niet nodig dat ik mijn hand op de deurknop legde, maar dat deed ik toch, omdat we bij biologie net over DNA hadden geleerd en dat dat van je lichaam af valt, zonder dat je het merkt. Ik hield het koude metaal stevig vast, terwijl ik me afvroeg hoe vaak Aaron dat had gedaan.

'Kom je nog binnen?' vroeg Max, en hij trok zijn jack uit en hing het aan een knop bij de voordeur. Ik stapte de gang in, terwijl veelkleurige spiralen Aaron op mijn huid prikten.

'Eh... wil je iets drinken? Sinas of zo?' vroeg hij. Ik knikte, en ik spitste mijn oren om te horen of er misschien nog iemand anders in huis was, maar het was stil, afgezien van de radiatoren die in de keuken zachtjes tikten. We waren alleen. En de straat buiten was leeg.

'Waar is je moeder?' vroeg ik, hoewel het niet haar auto was waar ik aan dacht.

'Op haar werk,' antwoordde Max terwijl hij twee sapjes inschonk in de keuken. Die was klein, met een tafel in de hoek en twee stervende planten op de vensterbank.

'En je vader?'

'Die woont hier niet.'

'O ja, dat had je verteld. Sorry,' voegde ik eraan toe, omdat Max' gezicht betrok.

'Nou ja, mij maakt het niks uit.' Hij overhandigde me een glas. 'Hij is al een paar jaar geleden weggegaan, dus ben ik er wel aan gewend.' Ik dronk mijn sinas in één slok op. Dat deed Max ook. Het kletterde toen we onze glazen in de gootsteen zetten, alsof ze even proostten, en buiten blafte een hond. 'Mozart. Stomme naam voor een hond.'

'Ze hadden hem beter Bach kunnen noemen,' zei ik met een grijns. Max reageerde daar niet op, dus vroeg ik waar de wc was, ook al hoefde ik helemaal niet en wist ik het toch al van op het feest.

'Ik loop wel even mee,' zei hij, en hij bracht me naar de badkamer boven. Hij maakte een raar geluid toen hij naar iets bij het zilverkleurige doortrekding keek. Ik volgde zijn blik en zag een kartonnen kokertje tegen de muur hangen op de plek waar een rol toiletpapier had moeten zijn. 'Eh... Ik haal nog wel wat.'

'Hoeft niet,' reageerde ik. Max trok zijn wenkbrauwen op. Ik was niet van plan iets op de plee te doen, maar dat wist hij niet.

'Echt niet?'

'Ja. Ik bedoel nee. Ik wil een rol,' zei ik. Max' wenkbrauwen gingen nog verder omhoog. 'Geen hele rol,' voegde ik eraan toe. 'Gewoon een velletje.'

Voor het geval Max stond te luisteren, deed ik of ik naar de plee ging. Ik deed het achterbaks, met doortrekken en de kraan openzetten. Een stukje zeep was gekrompen tot het formaat van een muntstuk, en ik stelde me voor dat Aaron zijn handen daarmee waste, dus bukte ik me om eraan te ruiken. Ik vulde mijn longen met zijn geur. Ik pakte het zeepje en liet het in mijn zak glijden, en waarschijnlijk klinkt dat of ik gek ben geworden, Stuart, maar mensen doen allemaal gekke dingen en zo in dat tv-programma waarin ze camera's op maffe plekken verstoppen; een vrouw van middelbare leeftijd in de toiletten van een duur restaurant danste de foxtrot op weg naar de handendroger en zwijmelde onder de hitte terwijl ze zei: 'O, Johnny', alsof ze meespeelde in *Dirty Dancing*. En toen mam me een keer meenam naar Londen om naar een musical te gaan, voordat Dot was geboren, wilde ze eerst naar een plek waar de Beatles eens de straat hadden overgestoken, en dat klinkt alsof

120

het een grap is, maar het is echt gebeurd; het staat op een platenhoes, om precies te zijn.

Er waren veel toeristen aan het klikken met hun camera's en de dood aan het riskeren door op het zebrapad te poseren, terwijl ze hun best deden aan de rode bussen te ontkomen. De toeristen waren opgewonden, maar mam was het opgewondenst van allemaal, als je het kunt geloven, en ze poseerde met haar arm om een man heen die uit Wokingham kwam en die zich had gekleed als John Lennon. Ik denk dat de vrouw in het dure pakje de zeep van Patrick Swayze zou hebben gepikt, en die man uit Wokingham het zeepje van John Lennon, dus Stuart, volgens mij was het niet zo heel gek dat ik het zeepje van Aaron pikte. Ik durf te wedden dat jij ook gekke dingen deed toen je verliefd werd op Alice na jullie eerste afspraakje in de snackbar. Misschien pikte je een zakje ketchup mee van het tafeltje, en zelfs als je thuis geen ketchup meer had, kon je het niet over je hart verkrijgen om dat zakje open te scheuren; misschien staat het nog in je keukenkastje tussen de mosterd en de sojasaus.

In elk geval schrijdt de tijd voort, dus ik zal opschieten en me voorstellen dat ik mijn handen warm heb in-gepakt tegen het koude vel papier waar mijn hand overheen glijdt. Ik zal alleen maar zeggen dat het er in Max' kamer warm aan toeging. Zijn vingers waren op weg naar de rits van mijn schoolrokje, toen ik buiten een auto hoorde stoppen, en BAM, meteen kwam ik bij mijn positieven.

'Waar ga je naartoe?' bracht Max kreunend uit, omdat

ik van het bed was gesprongen en mijn kleren rechttrok.

Ik deed alsof ik op mijn mobieltje keek en legde het toen op zijn bureau. 'Ik moet ergens heen.' Ik trok mijn schoenen aan en haalde mijn handen door mijn haar, en toen ging de voordeur open en weer dicht.

'Je hoeft niet weg,' zei Max. 'Ze vinden het best als ik meisjes op bezoek heb.'

'Ik moet echt weg,' hield ik vol, en ik stelde me Aarons gezicht voor als hij me hier met zijn broer zou zien. Een tas plofte neer bij de voet van de trap, en de tv werd aangezet. 'En wel nu meteen...'

'Blijf nou nog even.' Hij klopte op het bed naast zich, en deed toen of hij rilde. 'Ik krijg het koud zonder jou...'

'Doe je shirt dan goed,' zei ik, en dat deed hij mokkend, en hij deed er eindeloos over, terwijl ik midden in de kamer stond te wachten, want ik wilde dolgraag weg, maar durfde dat niet te laten merken.

'Je bent niks leuk,' klaagde hij toen hij eindelijk opstond en we naar beneden gingen.

'Ben jij dat, Max?' riep iemand boven het geluid van de tv uit. Een vrouw. Ik slaakte een zucht van verlichting.

'Nee, mam. Ik ben een inbreker die al onze spullen jat,' antwoordde hij met een stalen gezicht.

'O, haha, heel grappig. Hoe was het op school?'

'Gewoon,' riep Max terug. 'Wiskunde. Saai. Engels. Saai. Natuurkunde. Saai.'

'Niet zo enthousiast, jongen. Is Aaron al thuis?'

Ik vertrok mijn gezicht en wreef gauw over mijn neus om het te maskeren.

'Nee, hij zit waarschijnlijk bij Anna.' Dus zo heette ze.

'Later,' zei hij tegen mij, omdat ik de voordeur open had gedaan.

'Kom je degene die in de gang staat niet even voorstellen?' riep zijn moeder.

'Misschien een andere keer,' antwoordde Max, en dat was dat. Mijn eerste contact met Sandra was afgelopen.

Als je een nieuwsgierige buur in Max' straat zou zijn, zou je zwaar teleurgesteld zijn omdat er helemaal niks gebeurde in de tuin toen we afscheid namen. Ik zwaaide, Max zwaaide, en hij deed gauw de voordeur dicht. En om heel eerlijk te zijn was het allemaal nogal een suf gedoe geweest dat met een sisser afliep, en Stuart, als je niet weet wat ik bedoel, stel je dan nat geworden vuurwerk voor dat niet afgaat, dan snap je het vast wel.

Toen ik wegging, stond de maan al aan een indigo-blauwe lucht te schijnen. Ik zou graag willen vertellen dat het een volle maan was, omdat dat betekenisvol lijkt, maar er was niets betekenisvol aan, dus kon ik niet weten dat er iets geweldigs zou gebeuren. Dat geweldige bleek een oude blauwe auto te zijn die stond te wachten bij het stoplicht bij de kerk. Er vloog zomaar ineens een duif voorbij, dus bukte ik omdat hij bijna tegen mijn hoofd vloog, en toen ik rechtop kwam, toeterde er iemand. Mijn ogen pasten zich aan aan de felle kop-lampen en met een toevloed van adrenaline besefte ik dat het Aaron was geweest.

'Vogelmeisje!' riep hij vanuit de auto. 'Aan het rondhangen met duiven?'

'Aan het aangevallen worden door duiven,' verbeterde ik hem.

'Nou, dan kan ik je beter brengen naar waar je heen wilt.'

Ik geloof niet dat ik daarop iets zei; ik rende gewoon de straat op terwijl het licht op groen sprong en een man in een bestelwagen uit het open raampje iets bozigs riep. Verontschuldigend stak ik mijn hand op en toen dook ik DORIS in. Aaron gaf gas nog voordat ik het portier dicht had getrokken. Ik zat te frunniken met de gordel ergens bij de handrem terwijl we naar voren schoten, en mijn neus kwam met een klap tegen Aarons been terecht. We moesten allebei lachen.

'Stop eens ergens,' zei ik, met pijn in mijn zij en met mijn voet onder mijn been. 'Mijn been slaapt!'

Aaron stopte bij het Chinese afhaalrestaurant. 'Hoi,' zei hij toen ik weer normaal was gaan zitten.

'Hoi,' zei ik terug, en toen ontplofte er droog vuurwerk tussen ons. Hij droeg een verbleekte spijkerbroek en een uitgezakte blauwe trui, en met zijn blonde haar was niets bijzonders, maar het zag er wel leuk uit zo boven op zijn hoofd.

'En, waar gaan we heen?' vroeg Aaron.

Ergens ver weg. Dat had ik willen zeggen, en Timboektoe was het eerste wat in me opkwam, maar natuurlijk vroeg ik alleen maar om naar het Fictiepad te worden gebracht, want ik wist dat mam op me wachtte. Aaron keek even achterom en reed weg net op het moment dat een vrouw in het Chinese afhaalrestaurant een bordje aan de deur omdraaide: OPEN. De lichten gingen aan en een draak in de etalage gloeide groen op, en dat deed me denken aan avonturen in landen heel ver weg, en ik wenste heviger dan ik ooit in mijn leven iets had gewenst dat de auto een betoverde auto was en dat we daarmee helemaal naar Timboektoe konden, want toen dacht ik nog dat dat een fabelachtige plek was, zoiets als Narnia, en niet een echte stad in Afrika, geplaagd door armoede en honger.

'Goed, dan gaan we naar Fictiepad,' zei Aaron, alleen gebruikte hij uiteraard mijn echte adres, en ik vond het top dat hij wist waar mijn huis stond en dat hij niet om aanwijzingen hoefde te vragen.

Ooit had pap een boek gelezen over hoe makkelijk mensen zich aanpassen en dat we opmerkelijke wezens zijn omdat we aan alles kunnen wennen, en Stuart, dat klopt helemaal; denk maar aan mensen die in het vliegtuig in slaap vallen en er niet eens bij stilstaan dat ze wonderbaarlijk hoog in de lucht zijn, boven de wolken bij Zuid-Amerika of zo, en dat ze naar de wc gaan duizenden meters boven het aardoppervlak en pissen hoog boven de oceaan. En zo was het meerijden met Aaron ook. Eerst was het WAUW, maar na een paar minuten was ik eraan gewend en kreeg ik het rare gevoel dat ik op die stoel hóórde te zitten. Moeiteloos reden we over de lange weg, en op het juiste moment sprongen de verkeerslichten op groen, alsof de draak uit het restaurant smaragdgroen vuur uitbraakte om de weg naar huis te verlichten.

Aaron wierp een blik op mijn schooluniform.

'Bath High?' vroeg hij. 'Daar zat ik vroeger op. Mijn broertje zit er nu op.'

'Echt?' vroeg ik, mijn gezicht geïnteresseerd, maar vanbinnen koud. Mijn lever, mijn milt, mijn hart – alles verkilde.

'Max Morgan. Ken je hem?' Aaron sloeg rechts af. Hij versnelde omdat de weg verlaten was. Toen ging hij langzamer rijden en sloeg links af.

'Max...' begon ik, maar er kwam ineens een ambulance met loeiende sirene achter ons rijden. Aaron ging uit de weg; hij trapte de rem zo hard in dat bij mijn hoofd iets hards tegen de voorruit vloog. Aan de achteruitkijkspiegel hing een rood poppetje, en dat tikte tegen de voorruit. Ik hield het op met mijn hand, en de ambulance schoot over de weg en verdween om de bocht.

'Dat scheelde niet veel,' bracht Aaron ademloos uit.

'Is dit...'

'Miss Scarlett, van Cluedo.' Aaron knikte. 'En een Cluedo-dobbelsteen. Iedereen op de universiteit heeft van die stomme zachte dobbelsteentjes, dus toen dacht ik dat ik maar echte aan mijn spiegel moest hangen. Bovendien is Cluedo top.'

'Speel je graag Cluedo?'

'Speel jij graag Cluedo?'

'Nou en of,' antwoordden we tegelijk, en toen grijnsden we.

'Veel leuker dan Monopoly. Steeds hetzelfde rondje...' zei Aaron.

'En steeds weer langs Start...'

'Geld stelen van de bank om huizen mee te kopen...' zei Aaron. 'Iedereen steelt wel wat,' zei hij toen hij mijn geschokte gezicht zag.

'Ik steel nooit!'

'Natuurlijk wel.'

'Nee, echt niet!'

'Heb je nog nooit Monopoly-geld gestolen?' vroeg

126

Aaron. 'Dan heb je niet geleefd. Ik zal je wel een keer laten zien hoe het moet.'

'Vast,' zei ik, maar mijn hart was aan het ontdooien en droop over mijn botten heen.

Het bordje van Fictiepad doemde op, zwarte letters op een wit bord waar een dikke bruine kat op zat, en Stuart, ik kan nu buiten het schuurtje in het donker gemauw horen. Die op het straatbordje was behoorlijk stil, en toen we dichterbij kwamen, werden de kattenogen helderder, maar ik wilde niet naar huis, nog niet, nooit.

'Stop hier eens even,' zei ik.

Aaron deed alsof hij met zijn vinger tegen zijn chauffeurspet tikte en stopte naast de kat. 'Laten we even gedag gaan zeggen.'

'Hè? Nee... Wacht!' riep ik, maar Aaron was al verdwenen en had het portier wijd open laten staan.

'Dag, meneer Kat,' zei hij terwijl hij het vlekje wit tussen de puntige oortjes van de kat streelde.

'Lloyd,' wees ik hem terecht. 'Hij woont naast ons. Met Webber.'

'Lloyd Webber,' mompelde Aaron toen de kat van het bordje sprong en met een rauw soort gesnor kopjes ging geven tegen mijn been. 'Naast ons woont een hond die Mozart heet.'

Ik knikte alsof dit een nieuwtje was. 'Ze hadden hem beter Bach kunnen noemen,' grapte ik, maar het ging niet van harte. Aaron lachte, en daar werd ik zowel blij als verdrietig van, want Stuart, stel je de maskers bij de schouwburg voor die midden in mijn buik van mijn ribben hangen.

'Mooie beesten,' mompelde Aaron toen de kat de struiken in stoof. 'Vind je niet?'

Een beetje huiverend klom ik op het muurtje. 'Ik weet het niet. Ik heb liever honden.'

Aaron sprong naast me op het muurtje. 'Katten zijn beter. Vrijer. Zoals Lloyd, die zomaar wegrent om op ontdekkingstocht te gaan.'

'Maar ze zijn altijd alleen. Honden zijn socialer. Ze kwispelen, ze rennen rond.'

'Katten kunnen in bomen klimmen,' stelde Aaron.

'Maar honden kunnen zwemmen. En katten vermoorden vogeltjes, en dat zou ik nooit kunnen.'

'Jij en je vogeltjes...' merkte Aaron op, en hij zette een voet op het muurtje en sloeg zijn armen om zijn gebogen knie.

'Ik ben dol op ze. Ze zijn beter dan katten en honden en alle andere dieren bij elkaar.'

'Wat is er zo speciaal aan?' vroeg Aaron, en hij keek me aan alsof hij uitermate geïnteresseerd was in het antwoord.

Ik dacht een poosje na. 'Nou, ze kunnen vliegen.'

Aaron slaakte een kreetje. 'Echt?'

Ik mepte hem op zijn arm. 'Doe niet zo raar! Ik vertel het niet als jij...'

'Nee, ga door,' zei hij met pretoogjes.

'Nou, ze kunnen dus vliegen...' Achterdochtig keek ik hem even aan, maar hij hield zijn mond. 'En dat is ongelooflijk; ik bedoel, stel je voor dat je kunt opstijgen en gaan waar je maar wilt. Zoals zwaluwen. Die gaan idioot ver.'

'Zijn dat van die trekvogels?' vroeg Aaron.

Ik ging op mijn handen zitten en knikte. 'In de winter vliegen ze weg, dan zoeven die piepkleine beestjes totaal onbevreesd over zee. Ze vliegen wel dertigduizend kilometer of zoiets, en dan vliegen ze weer terug wanneer het warmer wordt. Kweenie, het is gewoon cool,' eindigde ik zwakjes.

Aaron stak een hand uit en kneep even in mijn been. 'Heel cool,' zei hij. Het zinderde door me heen, en ik voelde zijn hand nog op mijn been toen hij die allang had weggehaald. 'En, wat doe je dit weekend?' vroeg hij, en hij deed erg zijn best om achteloos te klinken.

Ik deed nog meer mijn best toen ik antwoordde: 'Boeken op de plank zetten in de bibliotheek waar ik werk. En jij?'

'Een essay schrijven. Heel saai.'

'Ik heb ook veel huiswerk. Mijn moeder zet me onder druk; ze heeft het aldoor over cijfers en dat ik hoge moet halen als ik rechten wil gaan studeren.'

'Wíl je rechten studeren?' vroeg Aaron met zijn armen over elkaar.

Ik trok mijn neus op. 'Niet echt. Maar mijn ouders zijn allebei advocaat, dus...'

'Dus wat?'

'Nou, het is een goede baan, toch?'

'Hangt ervan af wat je als "goed" beschouwt,' zei Aaron.

'Persoonlijk kan ik me niets ergers voorstellen. De hele dag op kantoor. Bergen papierwerk. Staren naar een computerscherm.'

Bang dat hij me saai zou gaan vinden, zei ik: 'Nou, eigenlijk wil ik het liefst romans gaan schrijven.' Dat had ik nog nooit zo stellig gezegd, en meteen voelde ik me stom. 'Niet dat ik daar ooit de kans voor krijg. Niet echt.'

'Hé, zeg dat nou niet! Je bent te jong om cynisch te zijn.'

'Niet cynisch. Realistisch. Met schrijven verdien je niks,' praatte ik mijn moeder na.

'Volgens J.K. Rowling wel.'

Ik schoot in de lach. 'Geloof me, mijn verhaal is lang niet zo goed als *Harry Potter*.'

'Dus je bent iets aan het schrijven? Vertel er eens over.'

'Geen sprake van.'

'Laf kippetje.' Hij kwaakte en sloeg met zijn armen alsof het vleugels waren.

'Aaron, dat is een eend.'

Er verscheen een lachje op zijn gezicht. 'Ik ben dan geen expert op het gebied van vogels, maar een lafaard herken ik als ik er eentje zie.'

'Oké. Het heet *Bizzel het Bazzelbeest*...'

'Leuke titel.'

'En het gaat over een wezentje van blauw bont dat in een pot witte bonen in tomatensaus woont, maar op een dag heeft een jongen die Mod heet zin in witte bonen in tomatensaus op een geroosterd boterhammetje, en dan opent hij de pot en giet de bonen in een kommetje, maar dan floept Bizzel eruit, en dat heb ik nog nooit aan iemand verteld, dus je mag er nu niks over zeggen.'

Dat deed hij niet. Hij bleef stokstijf zitten, bijna zonder te ademen. Ik sloeg mijn blik ten hemel. 'Je mag wel ademen, hoor.'

'Poe.' Hij liet zijn adem gaan. 'Ik was al bang dat ik zou stikken.' Hij stootte me speels aan met zijn schouder. 'Het klinkt goed.'

'Wat ben jij dan van plan?' vroeg ik om van onderwerp te veranderen, en ik draaide me naar hem toe door schrijlings op het muurtje te gaan zitten.

'Ik ben niks van plan.'

'Iedereen is iets van plan,' merkte ik verbaasd op.

'Ik niet.'

'Wat dan? Je studeert af en dan ga je gewoon.'

'O, dan...' Hij wuifde het weg. 'Dat zien we dan wel. Dan denk ik erover na. Er is toch geen haast bij?'

Terwijl ik aan het mos pulkte, probeerde ik me Aaron over dertig jaar voor te stellen. Serieus. Vermoeid. Grijze haren bij de slapen, zoals bij pap. Het was onmogelijk. Vooral toen hij opstond en me omhoogtrok. Ik klampte me aan zijn arm vast om te voorkomen dat ik viel.

'Ik klim graag op muurtjes,' zei hij ineens.

'Eh... Ik klim ook graag op muurtjes,' zei ik terwijl ik moeite deed mijn evenwicht te bewaren.

'Ik hou van de winter en van het donker, ik hou van katten en regen, en ik hou van wandelen door de bergen en in de mist op de top zitten. Meer hoef ik nu niet over mijn leven te weten. Het is heel eenvoudig. En ik kan er gratis van genieten.'

'Maar je hebt geld nodig,' wierp ik tegen. 'Iedereen heeft geld nodig.'

'Klopt. Maar net genoeg om van te leven. En misschien

een beetje extra om avonturen mee te beleven. Want dat ga ik doen als ik ben afgestudeerd. Dan ga ik ergens heen. Toen ik zeventien werd, kreeg ik van mijn vader een smak geld om een auto met een persoonlijke nummerplaat van te kopen. Ik geloof niet dat hij DOR1s bedoelde. Maar ze doet het goed. En de rest van het geld heb ik nog om iets leuks van te doen.'

'Dit is leuk,' zei ik zonder erbij na te denken, en ik vroeg me af of mijn ouders zich in het begin ook zo hadden gevoeld, toen ze nog liefdesbrieven aan elkaar schreven.

'Ja,' zei Aaron, en hij hief zijn hoofd naar de druilregen. 'Absoluut.'

Net toen ik dacht dat de avond niet geweldiger kon worden, rees het beeld van een parkeerterrein voor me op. Een parkeerterrein waar twee personen over liepen. Die bij de straatlantaarn bleven staan. Die elkaar in de amberkleurige gloed omhelsden.

'Ik moet weg,' zei ik plotseling, en ik sprong van het muurtje af en verpestte het moment. 'Mijn moeder zei dat ik om zes uur thuis moest zijn.'

Aaron bleef waar hij was, met zijn armen gespreid en staand op één been. 'Goed dat ik je een lift heb gegeven, anders zou je te laat zijn geweest. Wat deed je daar eigenlijk?'

'Wat zeg je?' zei ik, al had ik hem prima verstaan. Ik veegde mijn rokje schoon en keek hem niet aan.

'Wat deed je daar na school? Ik woon in die buurt.'

'Ik was op bezoek bij mijn opa,' mompelde ik terwijl ik een niet-bestaand pluisje wegschoot.

'In welke straat woont hij?'

Ik kon geen straatnaam bedenken, dus zei ik: 'Hij ligt begraven op de begraafplaats bij de verkeerslichten.'

'O. Sorry.'

'Laat maar, hij rust in vrede.' En Stuart, dat was wel een beetje waar, want in een ziekenhuis liggen en aardbeigelei eten is best vredig.

Aaron sprong van het muurtje. Ik deed het portier aan de passagierskant open. Zijn armspieren bolden op toen hij mijn tas pakte. Onze vingers raakten elkaar even toen hij me het hengsel overhandigde. Tien tellen later overhandigde hij me nog steeds het hengsel, en mijn vingers tintelden van zijn veelkleurige DNA.

'Nu zijn we aangeland bij het gedeelte waar jij me jouw telefoonnummer geeft,' fluisterde Aaron. 'Zonder dat ik erom hoef te vragen.' Mijn hart sprong op, maar ik aarzelde bij de gedachte aan het roodharige meisje. 'Of wil jij liever het mijne? Je weet wel, om een bankoverval te regelen.'

Ik giechelde. Ik kon er niets aan doen. Omdat ik mijn nummer niet uit mijn hoofd kende, stak in mijn hand in mijn tas om mijn mobieltje te pakken. Schoolboeken. Pennen. Een elastiekje. Ik zocht in de hoekjes. Een paperclip. Kauwgom. De dop van een flesje.

'Het is weg,' zei ik in verwarring gebracht, en toen slaakte ik een kreetje.

'Wat?'

'Ik... Ik heb het zeker op school laten liggen.'

Aaron haalde een pen uit het handschoenenvakje. Hij pakte mijn hand en schreef er zijn nummer op, en de pen kriebelde op mijn huid toen de nullen, zevens,

zessen en achten van mijn duim tot mijn pink liepen,
over mijn levenslijn en liefdeslijn en al die andere lijnen
die zigeuners in hun woonwagens bestuderen. De zwarte
inkt glansde in het maanlicht, maar ik zag alleen mijn
mobieltje in Max' kamer. Op zijn bureau. Met een foto
van Lauren en mij op het schermpje. Ik trok mijn hand
weg en hing mijn tas over mijn schouder. Aaron fronste
zijn voorhoofd, en ik wilde niets liever dan die rimpel
wegstrijken.

'Is er iets?' vroeg hij, en Stuart, dat was een onmoge-
lijke vraag, maar voor de tweede keer die avond hoefde
ik niet te antwoorden, want ik werd weer gered door een
ambulance.

Dezelfde ambulance van een paar minuten geleden.

Die draaide Fictiepad in, waar ik woonde, met blauwe
zwaailichten.

Ik weet niet of je ooit in een wachtkamer van een
ziekenhuis bent geweest, maar als je het mij vraagt is
er niets ergers. Er stonden een verweerde bank, een
plakkerige salontafel, een overvolle prullenbak, een lege
waterkoeler, en een treurige plant die er zieker uitzag
dan alle patiënten van de afdeling samen. In de droge
aarde van de plant waren sigaretten uitgemaakt, ook al
hingen er wel zes borden met VERBODEN TE ROKEN en een
affiche over longkanker met heel griezelige afbeeldingen
van tumoren. Ernaast lag een stel brochures over
zwakke blazen, hetgeen misschien verklaarde waarom
de verpleegkundigen het water niet bijvulden.

134

Buiten de kamer klonken stemmen. Soph stond op en deed de deur open, maar het was niet mam, pap of Dot – gewoon een paar dokters die langskwamen met stethoscopen om hun hals en zwierige witte jassen. In de verte klonk een sirene, een brancard werd ratelend over de straatstenen gereden, en ergens dichtbij maakte een hartmonitor geluid: *pie-ie-iep*. Ik hoopte dat het niet die van Dot was.

Stuart, ik weet zeker dat je wel eens iets hebt gehoord over het zesde zintuig, een gevoel dat er in je hoofd wordt gekrabd om je te waarschuwen dat een dierbare in gevaar verkeert, en misschien ervaar je dat in je cel, bijvoorbeeld als de broer over wie je het waarschijnlijk niet wilt hebben keelpijn heeft, dat jouw amandelen dan ook van zich laten horen. In elk geval, zodra ik die ambulance zag ging ik rennen, en ik hoorde Aaron mijn naam nog roepen, maar ik keek niet achterom omdat ik zo'n soort gevoel had. En ja hoor, toen ik de oprit op rende, was Dot nergens te bekennen en huilde Soph.

Mam was met Dot meegegaan in de ambulance en had tegen Soph gezegd dat ze moest thuisblijven. Nou ja, dat vond ik dus niks; daarom belde ik een taxi en daar sprongen we in, en onderweg naar het ziekenhuis kon Soph alleen maar janken.

'Ze is gevallen,' zei ze terwijl de tranen over haar wangen biggelden. 'Helemaal van boven naar beneden.'

'Van wat?' vroeg ik fluisterend.

'Van de trap. Ze lag daar maar zonder te bewegen...'

De zin hing nog in de lucht toen we bij het ziekenhuis

kwamen en een verpleegkundige met een streng gezicht ons naar de wachtkamer bracht.

Na een heel erg lange tijd ging de deur piepend open en daar stond mam in de deuropening, en haar topje hing uit haar spijkerbroek.

'Hoe is het met Dot?' vroeg ik.

'Gaat het goed?' fluisterde Soph.

Mam liet zich op een stoel ploffen. 'Het is...'

'Wat is het?' vroeg ik, terwijl ik Sophs arm greep.

Mam slaakte een diepe zucht. 'Het is een gebroken pols.'

'Een gebroken pols?' vroeg Soph.

'Alleen maar een gebroken pols?' vroeg ik.

We schrokken toen de deur nogmaals openging. Pap kwam binnen met een aktetas, een rood gezicht en hijgend, in het dure zwarte pak dat hij alleen droeg voor besprekingen met belangrijke cliënten of voor begrafenissen.

'Ik kreeg je bericht. Wat is er gebeurd? Hoe is het met Dot?'

'Ze heeft haar pols gebroken.'

'O, gelukkig!' zei pap.

'Gelukkig?'

'Nou, uit je bericht maakte ik op dat... In elk geval, het gaat dus goed met haar?'

Mam staarde naar haar knieën. 'Het is mijn schuld. Ik had beter moeten opletten.'

'Je kunt haar niet aldoor in de gaten houden,' zei pap zacht. 'Niet altijd en eeuwig.'

'Ze viel van de trap. Zeker gestruikeld over iets van de kerstversiering. Ik weet niet waarom ze die slingers om had, maar ze struikelde en víél. Ze was bewusteloos. Ik kon haar niet bijbrengen, Simon, en ze lag daar maar, net als de vorige keer, nauwelijks ademend en...'

Pap knielde bij haar neer. 'Het was niet jouw schuld, lieveling. Een ongeluk zit in een klein hoekje.'

Bibberig haalde mam diep adem, en pap streek over haar wang. 'En hoe ging het met jou?' vroeg ze vanwege paps pak. 'Gelukt?'

'Ik was bij de laatste twee, maar de baan ging naar die ander.'

Voordat mam daar iets op kon zeggen, scheen er opeens licht van de gang naar binnen. Een verpleegkundige hield de deur open en onthulde zo Dot met haar hand in het gips en kerstslingers glanzend om haar nek. Soph was het eerst bij haar; ze liet zich op haar knieën vallen en gebaarde heel snel, sneller dan ik wist dat ze kon. Ik zag niet wat ze zei, maar Dot knikte en Soph omhelsde haar, en dat deed ze niet vaak. Pap tilde haar op en kneep haar bijna fijn, en mam zei: 'Voorzichtig, Simon', en toen gingen we naar huis, en Stuart, ik weet dat het een hele overgang is, maar bij de deur van het schuur- tje mauwt een kat, dus even geduld terwijl ik hem binnenlaat.

Sorry, maar ik kan nu beter ophouden, want schrijven is onmogelijk met Lloyd snorrend op mijn schoot, tussen mij en het papier in. Het witte plekje tussen zijn oren is zachter dan ooit, en dat raak ik steeds aan en ik druk mijn lippen er ook op. Ik wilde je nog vertellen dat ik mijn hand in een plastic zakje had gestoken opdat Aarons nummer er niet af zou spoelen onder de douche,

en ik wilde ook nog zeggen dat ik me onder de dekens
verstopte en mijn hand bij mijn oor hield, en net deed of
ik verbinding maakte met een denkbeeldige mobiel en
in het donker met hem kletste. Mijn woorden gingen
door mijn aderen, die als telefoonkabels in de lucht
hingen. Ik legde uit hoe het kwam dat mijn mobieltje bij
Max op de kamer lag, en hij legde uit hoe het met zijn
vriendinnetje zat, en uiteraard vergaven we elkaar,
terwijl we de hele nacht lieve woordjes in onze polsen
fluisterden in de bleke gloed van de onopmerkelijke
maan.

Van
Zoe x

Fictiepad 1
Bath

20 december

Hoi Stuart,

Gisteren heb ik een kaart voor je gemaakt, maar vrees
niet: er zijn geen plaatjes van gezinnen die kalkoen
eten, knipperende kerstlichtjes of sneeuwpoppen die
grijnzen met een geluk dat is gemaakt van stenen die
niet vergaan. Niets van deze feestelijke sfeer leek me
geschikt, dus tekende ik een vogel, een havik met een
rode staart die boven je cel vliegt, die volgens Google
ongeveer net zo groot is als mijn schuurtje in de tuin,
alleen staan er geen gieters in, is er geen jasje en ook
geen doos met tegels die in je benen snijden, en
waarschijnlijk stinkt het er ook niet naar paps oude
sportschoenen. Eigenlijk staat er niet veel in je cel,
alleen in de ene hoek een bed met een heel dun matras,
en aan de andere kant een wc. Als je het mij vraagt is
dat niet erg hygiënisch; je zou eens een klacht moeten
indienen bij de lui die over dat soort dingen gaan,
of anders een protestgedicht schrijven.

De vorige week heb ik je gedicht *Oordeel* gelezen, en volgens de tweede strofe heb je niet gehuild toen de rechter zei dat je schuldig was. Je ging niet kwaad schreeuwen toen je broer juichte, en je ging ook niet bang schreeuwen toen je naar de gevangenis werd gebracht, want je geest zweefde boven alles uit en keek neer op een man met handboeien om. Echt hoor, ik weet precies wat je bedoelt, want gisteren zweefden mijn hersens mee met een duif bij een eik om te kijken naar een meisje in een zwarte jas dat woorden schreef op een vierkante kaart.

Ik voelde me niet-daar toen we naar het graf liepen, en ik voelde me niet-daar toen we onze kransen neerlegden, en ik voelde me niet-daar toen Sandra haar hand op de marmeren grafsteen legde en haar gehandschoende vinger over de goudkleurige letters liet gaan.

'We zullen je nooit vergeten,' fluisterde ze, en Stuart, ik zag zijn bruine ogen naar me staren toen ze de tekst op de linten aan haar krans voorlas. 'Altijd in mijn gedachten. Altijd in mijn hart. Prettige kerstdagen, mijn lieve zoon.'

Toen het mijn beurt was om iets te zeggen deed ik mijn lippen van elkaar die niet mijn lippen waren. 'Prettige kerstdagen.' De woorden op het deksel van de doodskist gingen gloeien, de hitte van de waarheid steeg op uit de grond, en daar bloosde ik van.

Ik wilde daar niet zijn. Ik zou nooit zijn gegaan als Sandra niet eerder die dag bij ons huis was komen opdagen en drie keer had aangebeld.

'Is Zoe thuis?' hoorde ik haar vanuit mijn kamer zeggen, en ik verstijfde.

'Eh...' zei mam, overdonderd. 'Ja. Ja, ze is thuis. Kom toch binnen, Sandra.'

'Ik blijf niet, ik wil alleen Zoe maar even spreken.'

Mam liep de trap op, dus gooide ik me op de grond om te kijken of er ruimte onder mijn bed was om me te verstoppen. Mam stak haar hoofd om de deur voordat ik had kunnen verdwijnen. Uiteraard kwam ik beneden en was ik beleefd, en uiteraard zei ik ja toen ze vroeg of ik mee wilde om het graf te bezoeken, ook al gilden mijn hersenen zo hard NEE dat ik verbaasd was dat ze het niet kon horen.

'Weet je het zeker, lieverd?' vroeg mam. Ze keek bezorgd, en ik probeerde haar met mijn blik duidelijk te maken dat ik niet wilde.

'Natuurlijk weet ze het zeker,' antwoordde Sandra. Ze was nog magerder, Stuart, haar gezicht een schedel en haar vingers knoken, en er zat geen mahonie meer in haar haren. 'Ze wil hem zien. Toch?' Ik durfde niet te weigeren, dus slikte ik en knikte, en het ademen kostte moeite. Woede stroomde door mijn aderen. Samen met schuldgevoelens. Ze klonterden samen in mijn maag, en daar kreeg ik buikpijn van, en ik voel het nu nog: een dof kloppen in mijn binnenste.

Misschien schreef hij daar ook de waarheid. Stuart, ik weet dat het gek klinkt, maar soms voelt het zo, alsof de woorden met klauwen in mijn binnenste worden geschreven, rood en pijnlijk en gezwollen, misschien zelfs bloedend. De enige manier om ze te laten verdwijnen, om de pijn te verzachten, is ze hier op te schrijven. Om het jou te vertellen. Vannacht ben ik moe, maar ik ga het toch doen, en ik begin op de dag na Dots ongeluk.

DEEL VII

Ik stond op de stoep voor het huis te wennen aan de kou toen mam ineens zei dat ze me naar school zou brengen.

'Ik heb liever niet dat je ook nog kouvat.'

Ze zag er gespannen uit, met wallen onder haar ogen, toen we op weg gingen door de regen, echte Engelse regen, die in lijnen, niet met puntjes, uit de pikzwarte wolken kwam. Ze reed zo langzaam dat een buur toeterde dat ze uit de weg moest gaan. Mam schrok en mompelde iets, heel mopperig, alsof ze de hele nacht had liggen woelen en niet had geslapen, nog geen minuut.

De ruitenwissers klotsten en de wielen spetterden door plassen, en Lloyd rende mee op de stoep, zijn vacht tegen zijn lijf geplakt, nog slechts een schaduw van het mollige wezen dat op het straatnaambord had gezeten. Het was bijna pijnlijk, zo graag wilde ik weer op het muurtje zitten en zeggen: 'Honden zijn tenminste niet zo stom om door de regen te lopen.' Voor de honderdste keer vroeg ik me af of Aaron mijn mobieltje had gezien, en of hij grote ruzie met Max had gehad, die er waarschijnlijk op was uitgelopen dat de een de ander een klap had gegeven.

Mam zat over het stuur gebogen. Dot zat stevig achterin vast in de gordel, en met een grimas hield ze haar pols vast, en ze keek naar mam om te zien of het haar

142

wel opviel. Mam had haar een dagje vrij van school gegeven, en Soph had ook een poging gewaagd door te klagen over keelpijn, maar mam had in haar keel gekeken voordat we uit huis gingen.

'Je keel ziet er prima uit. En je hebt ook geen verhoging.'

Toen we Soph bij het hek van de basisschool afzetten, nam mam nauwelijks afscheid; ze gaf gewoon gas, terwijl Dot vrolijk zwaaide met de arm die verondersteld werd zo pijnlijk te zijn.

Die dag zag ik Max voor het eerst in de kantine, en om eerlijk te zijn was hij adembenemend, en dat verraste me, alsof ik het ene ogenblik nog normaal ademde en het volgende mijn longen niet meer werkten toen hij binnenkwam met een voetbal onder zijn arm en druipend haar. In de rij lachten we naar elkaar toen de kantinejuffrouw riep: 'De volgende!'

'Een salade?' zei Lauren toen ik een kommetje met groen spul op mijn blad zette. 'Je hebt de pest aan sla.'

Ik keek haar veelbetekenend aan. 'Nee, hoor, ik ben er dol op.'

Lauren keek gewoon terug, zich totaal niet bewust van Max' aanwezigheid. 'Bij geschiedenis zei je dat je zo'n honger had dat je je oma nog kon opeten, mits ze gefrituurd was en er patat en erwtjes bij zaten.' Max lachte, en ik schaamde me diep, maar ik ruilde mijn salade om voor een bord met echt eten.

De lunch aten we in ons lokaal, waar droge hitte uit de radiators kwam. Terwijl we in onze agenda's tekenden, vertelde ik haar over Max, maar niet over Aaron, en ze moest lachen om het toiletpapier, en ik overdreef het onhandige gedoe met zijn moeder in de gang. Max leek ineens minder persoonlijk. Meer een verhaal. Aaron was te persoonlijk om het hardop over hem te hebben. Het feest, het vreugdevuur en het ritje in de auto waren allemaal in het donker gebeurd. Dus die waren lastig te onthullen, vooral in een lokaal met jongens die onder de tl-buizen met een frisbee gooiden. Lauren tekende een huis, ik tekende een smiley, zij tekende een hart, en ik tekende een maffe hond en kat met hun staarten in een grote strik verbonden.

'Schattig,' zei Lauren geeuwend, en ze liet haar hoofd naar achteren hangen met haar mond wijd open. Als uit het niets kwam de frisbee aangezeild en knalde tegen haar neus.

Lauren strompelde het kamertje van de verpleegkundige binnen, terwijl ik buiten bleef wachten en een brochure las over tienerzwangerschappen: *Hoe vertel ik het mijn ouders.* Die was ik aan het lezen toen ik achter me iets hoorde schuifelen. Met een ruk draaide ik me om en ik zag Max naar de brochure staren met een paniekerige blik in zijn ogen, ook al hadden we het nog nooit gedaan.

'Iemand die Gabriël heet kwam bij me langs. Helder licht, met grote vleugels.'

Max keek eerst in verwarring gebracht en toen geamuseerd. 'Ik snap je grapjes niet altijd, maar ik vind het wel leuk dat je ze maakt.'

Hij ging op de grond zitten met zijn ene been gestrekt, modder over zijn shirt, en zijn aftershave vermengd met de geuren van gras en regen. Drie meisjes van een jaar lager liepen gauw voorbij toen Max zijn sok naar beneden deed; ze giechelden, fluisterden en hielden elkaar vast in een soort hulpeloze aanbidding. Zijn voet was zo gezwollen dat ik die even aanraakte, met een blik op de meisjes. En ja hoor, ze keken alsof ze me wel konden vermoorden.

'Dat voelt fijn,' mompelde Max, dus raakte ik zijn voet nog eens aan.

'Heb je mijn mobieltje soms bij je?' vroeg ik. 'Volgens mij heb ik het bij jou laten liggen.'

Max sloot zijn ogen. 'Ja. Het ligt in mijn kluisje. Kom daar na school maar naartoe.' Niets in zijn stem wees erop dat zijn broer het had aangetroffen, en toen ik eens goed naar zijn gezicht keek, zag ik ook geen blauwe plekken.

Natuurlijk was ik totaal niet van plan met Max te gaan zoenen toen de laatste bel was gegaan, maar veel keus had ik niet, want Stuart, stel je voor dat er een krachtige mond op de jouwe neerkomt en dat stevige handen je met je rug tegen de muur duwen, en nu ik erover nadenk zou je dat ook hebben kunnen ondervinden, want helaas heb ik geruchten vernomen over wat er allemaal gebeurt in gevangenissen voor mannen. Zelfs terwijl ik protesteerde, klampten Max' lippen zich vast aan de mijne, en mijn woorden gingen verloren in ons spuug, maar veel moeite deed ik niet om ze terug te zoeken.

Die avond kregen mam en pap weer ruzie, en die ruzie duurde de hele week – in de keuken, in de woonkamer en in de badkamer, terwijl mam haar tanden zo stevig poetste dat ik bang werd dat ze ze eruit zou poetsen. Pap wilde dat mam ging werken en mam weigerde dat.

'Maar de meisjes hebben je niet meer zo nodig nu ze ouder worden!' zei pap zaterdagochtend voor de twintigste keer, en daar werd ik wakker van.

'Kijk dan naar wat er met Dot is gebeurd!' reageerde mam, en ze spuugde de tandpasta luidruchtig uit in de wasbak. 'Ik moet thuis zijn!'

'Voor wie dan precies?'

'Wat bedoel je daarmee?'

'De meisjes zitten op school, Jane. Ze hebben je overdag niet nodig, dus waarom blijf je dan nog thuis?'

De kraan werd opengedraaid.

'Ik ben toch moeder? Het is mijn taak om thuis te blijven!'

'Je kunt moeder zijn en ook op kantoor werken. Zeker parttime. Je hoeft hier niet elke seconde van de dag te zijn. Vroeger kon je allebei.'

'En kijk eens wat er is gebeurd!' riep mijn moeder uit, en ik had geen idee wat ze bedoelde, dus ging ik rechtop zitten en spitste mijn oren. 'Kijk dan wat er is gebeurd toen ik weer ging werken, Simon!' Er knalde glas tegen de muur toen ze de deur van de douche openrukte. 'Ik wil het risico niet nemen. En kun je me nu de ruimte geven om me klaar te maken?'

Soph verscheen in pyjama en met haar haren alle kanten op aan mijn voeteneind.

'Ze houden niet meer van elkaar.'

Ik trok het dekbed over mijn hoofd, terwijl de douche op volle kracht ging stromen, met het vaste voornemen

146

van het laatste stukje in bed liggen te genieten voordat ik moest gaan werken in de bibliotheek. 'Tuurlijk wel,' zei ik, hoewel ik niet al te zeker klonk. 'Het is alleen een beetje ondergesneeuwd geraakt.'

'Onder wat?'

'Onder geldzorgen, zorgen over werk en over opa...' Verder zei ik niets, want ik vroeg me af of dit elk stel overkwam. Hoe het gebeurde. Wanneer. Om de een of andere reden moest ik aan opa en oma op de zwartwitfoto's denken, en toen zag ik mam als een ster aan de hemel, en haar zilverige licht verbleekte toen pap zich afwendde.

'Ik wil nooit volwassen worden,' stoorde Soph me, en dat was precies wat ik ook dacht. Ze liet zich op mijn bed ploffen. 'Nooit!'

'Wil je je hele leven negen blijven?' vroeg ik onder het dekbed.

'Nee. Negen is het ergst.'

'Dus je wilt geen kind blijven, maar ook geen volwassene zijn,' verhelderde ik.

'Precies. Ik wil... Wat is er nog over?'

Ik trok het dekbed weg. 'Dood.' Ik ging lachen, maar Soph lachte niet mee.

'Ik zou een goed lijk zijn,' zei ze na een poosje, en ze legde haar armen kruislings op haar borst. 'Het zou best fijn zijn om een poosje in een doodskist te liggen.'

'Je zou je gaan vervelen.'

'Nietes.'

'Welles. En trouwens, ik zou je gaan missen.'

Als een zombie hield ze haar armen voor zich uit. 'Ik zou terugkomen uit de dood om bij je langs te gaan,' zei ze zangerig met een griezelstem. 'Maar alleen bij jou,' voegde ze er met haar normale stem aan toe. 'Niet bij mam of pap. En zeker niet bij Dot.'

In de bibliotheek ruimde ik eerst de planken van geschiedenis op, ik zette de boeken in chronologische volgorde. Net als bij het vreugdevuur werd er niet naartoe gewerkt. Het ene moment was Aaron er niet en het volgende zat hij aan een tafel een paar meter bij de planken vandaan waar ik achter stond. Ik greep me vast aan een plank en knipperde snel met mijn ogen, waarschijnlijk tien keer, om er heel zeker van te zijn dat ik me niets verbeeldde. Door een open plek tussen de nazi's, met mijn neus boven een swastika, zag ik Aaron zijn tas openmaken, er een blocnote uit halen, daarin bladeren en toen gaan schrijven.

Ik toverde een aangename uitdrukking op mijn gezicht en liep in de richting van zijn tafel, veranderde op het laatste moment van gedachten en trok me gauw terug achter de planken, mijn buik vol vlinders. Noem me maar laf, maar ik was bang om arrogant over te komen, omdat ik de vorige keer zijn nummer had meegegrist en was weggerend door de duistere straat. Bovendien had ik hem niet gebeld, en ik wist niet hoe ik dat moest uitleggen zonder het over zijn broer te hebben, en dat we vijf minuten hadden staan zoenen bij de verlaten kluisjes, en dat ik van elke vochtige seconde had genoten.

Aaron beet op zijn pen en schreef iets in de kantlijn. Vervolgens keek hij op en dook ik weg, me vasthoudend aan een plank en mijn hart bonzend. Heel, heel langzaam kwam ik weer overeind om door de opening te gluren, mijn nek gespannen, en sidderend ademend. Aaron was weer aan het schrijven, zijn schouders breed in een wit T-shirt, dat het helderste ding was in de hele bibliotheek, en waarschijnlijk in de hele wereld, en ik werd erdoor aangetrokken als door de zwaartekracht, want deze stralende jongen was het middelpunt van mijn universum, of in elk geval was hij interessanter dan boeken op een stoffige plank zetten.

Ik kneep mijn lippen opeen en liep naar Aaron, maar hij was zo verdiept in zijn werk en ik was zo gespannen dat ik straal langs hem heen liep en niet bleef staan. Onhandig stapte ik over zijn tas heen, en mijn been kwam bijna tegen zijn arm aan, en toen hoorde ik Aarons ogen met een *boing* als in een tekenfilm uit zijn kop schieten. Ik rende zowat naar het bureau voorin en tilde de doos RETOUR op om maar iets te doen te hebben, en mijn handen trilden tegen het karton.

Onhandig hield ik de doos scheef. Boeken vielen kletterend op het bureau, en mijn baas, mevrouw Simpson, mompelde iets achter de computer. *Woeste hoogten. Het grauwe huis. Gerechtigheid.* Een boek over de Berlijnse Muur, en eentje over padden.

'Vogelmeisje,' fluisterde iemand, en ik draaide me om en zag Aaron een paar centimeter van me af. Hij grijnsde toen ik bloosde.

'Die boeken gaan niet vanzelf op de plank staan,' zei mevrouw Simpson misprijzend. Ik pakte lukraak twee boeken van de stapel en trok aan Aarons mouw om hem duidelijk te maken dat hij achter me aan moest komen.

Het grauwe huis door Charles Dickens.

D.

Letterkunde op de eerste verdieping.

Ik weet niet of het aan de wenteltrap lag of aan het geluid van Aarons voetstappen achter de mijne, maar ik werd duizelig. Boven verdween ik tussen twee schappen. We waren helemaal alleen. Mijn blos breidde zich uit over mijn hele lichaam en ik had het ontzettend warm.

'Je hebt niet gebeld,' zei hij.

'Nee,' fluisterde ik. 'Mijn zusje heeft haar pols gebroken, dus werd ik behoorlijk afgeleid.'

'Ik vergeef je,' reageerde Aaron, en hij keek even naar *Een kerstvertelling* op de plank. 'Daar ga ik over twee weken heen. Naar de musical ervan. Met mijn moeder. Ze is er dol op. Ze sleurt ons steeds mee naar het theater. Max vindt het maar niks.'

'Ik ben dol op Kerstmis,' zei ik snel om het gesprek weg te leiden van zijn broer. 'Kalkoen, cadeautjes, de spannende tijd die eraan voorafgaat – alles.'

'Welke kerstperiode vond je de leukste?' vroeg Aaron, en hij zette zijn ellebogen op de plank.

'O, dat was in Frankrijk, toen ik zeven was en een sneeuwpop maakte van...'

'Sneeuw?' opperde Aaron.

Ik schoof *Het grauwe huis* op een leeg plekje. 'Ja, tuurlijk. Maar ook van een croissant.'

'Zei je daar: "croissant"?'

'Nou ja, ik had geen banaan of iets anders voor de mond, dus toen moest ik me maar behelpen met wat er wel was. Ik ben best vindingrijk,' zei ik.

'Hoe noemde je de sneeuwpop?' vroeg Aaron. 'Pierre?'
'Fred.'
'Echt Frans.'
'Hij zag eruit als een Fred!'
'Hoe zien Freds eruit?'
'Olijk,' zei ik na een korte stilte. 'En oud. We zetten
een pet op zijn hoofd en staken een pijp in de croissant.
Nou ja, geen echte pijp, een takje... Wat nou?' vroeg ik,
omdat Aaron me met pretlichtjes in de ogen aankeek.
'Niks,' zei hij, op een manier die me vertelde dat er
wel iets was – iets goeds.

Met zijn vinger ging hij op en neer over de boek-
ruggen, en de rillingen liepen over mijn eigen rug.
Ik leunde een beetje naar voren, en dat deed Aaron ook,
en Stuart, toen stond er nog maar één boek tussen ons,
maar dat was toevallig het boek over de Berlijnse Muur,
en je weet vast wel dat het onmogelijk is daaroverheen
te klimmen. Aaron lachte en ik lachte, en toen werden
onze gezichten ernstig over de enorme afstand van
dertig centimeter. Mijn oren suisden, ik boog me naar
voren...

'Pardon.'

Tegelijk draaiden we ons met een ruk om naar een
bejaarde dame in een windjack.
'Ik zoek een boek voor mijn kleindochter die komt
logeren. Kunnen jullie iets aanbevelen?'
Geërgerd stampte ik de metalen wenteltrap af naar de
afdeling Jeugd en overhandigde haar het eerste boek dat
ik zag: *Bollie de boe-koe.*

De bejaarde dame knipperde met haar ogen. 'Mijn kleindochter is zestien en vegetariër.'

Tegen de tijd dat ik een geschikt boek had gevonden, verscheen mevrouw Simpson bij de zitkussens met een lichtgeel vest aan met bloemetjes als knopen.

'Er moeten in het kantoortje veel kaartjes in het bestand worden geplaatst, Zoe,' zei ze met haar nette haar als een helm rond haar spitse gezicht.

'Ik moet dit terugzetten,' zei ik terwijl ik zwaaide met het boek over de Berlijnse Muur. 'En bij Letterkunde is het nogal een zootje.' Mevrouw Simpson volgde mijn blik. Aaron stond nog bij de D op me te wachten.

'Dat doe ik wel,' snibde ze. 'Jij moet achterin zijn.'

Ze bleef naar me kijken totdat ik wegging. Sneller dan het licht sorteerde ik alles, gebogen over de tafel, bang dat Aaron zou weggaan zonder gedag te zeggen. De zevende keer dat ik door het raampje in de deur keek, was dat gebeurd. De tafel was verlaten. Zijn tas was weg.

Ik liet me neerzakken op een stoel, en net toen mijn achterste de zitting raakte werd er op het raam getikt, en Stuart, ik zou graag net willen doen of Aarons haar te zien was en dat er een blaadje in hing om het te laten klinken alsof hij zich door de struiken een weg had gebaand om bij me in de buurt te komen. Maar dat zou gelogen zijn, want hij stond gewoon op het trottoir en achter hem reden auto's voorbij, en er was niets bijzonders aan, alleen leek mijn hart dat niet te beseffen. Dat steeg op uit mijn borstkas en vloog op naar de hemel, een rood stipje in al dat blauw.

Aaron zwaaide en ik zwaaide. Hij drukte zijn hand tegen het glas en ik drukte mijn hand tegen het glas, en hij trok een gek gezicht met grote ogen en hij knipperde, alsof het een heel bijzonder moment tussen ons was. En het gekke was dat het inderdaad een bijzonder moment tussen ons was, en daar waren we ons allebei bewust van, en daardoor kregen onze wangen precies dezelfde kleur vuurrood.

Van
Zoe x

Fictiepad 1
Bath

25 december

Hoi Stuart,

Het is nog pas één uur Kerstmis en zo koud dat ik mijn
adem kan zien, en ik ben heel blij met de muts, de sjaal
en paps jasje. Ik blijf niet lang, omdat mijn vingers
nauwelijks nog een pen kunnen vasthouden, en
ongetwijfeld komt Dot in alle vroegte uit bed om te
kijken of de Kerstman is geweest, maar ik wilde even
zeggen dat ik aan je denk, en dat ik hoop dat je in je cel
zo zoet slaapt als het kindeke Jezus, alleen heb je een
litteken en een kaalgeschoren hoofd en komt niemand
je goud, wierook en mirre brengen. Maak je niet druk,
veel mis je niet, want ik heb in de godsdienstles geleerd
dat mirre een soort plakkerige hars is, en als je het mij
vraagt was de derde koning behoorlijk schraperig om de
Verlosser van de wereld iets plakkerigs uit een eik te
geven. Hij had beter op zijn kameel door de woestijn
kunnen rijden met iets traditionelers, bijvoorbeeld
chocolaatjes in de vorm van een rendier, zoals ik er
eentje in de envelop heb gestopt.

doos chocolaatjes

Dot was de afgelopen avond heel opgewonden; ze galoppeerde heen en weer door de kamer met haar handen bij haar hoofd als een soort gewei. Haar opwinding maakte me verdrietig. Misschien ben jij ook verdrietig, Stuart. Misschien verlang je naar de tijd dat je broer en jij een pasteitje en een glaasje sherry op de schoorsteenmantel zetten voor de Kerstman, omdat je nu in een cel zit en hij ergens ver weg is, waarschijnlijk met een foto van je vrouw aan zijn muur naast een kale kerstboom waar hij niet de energie voor heeft om die op te tuigen.

Hoe dan ook, ik verspil mijn tijd, dus kan ik beter opschieten voordat Dot uit bed komt. Aangezien het kerst is, dacht ik je te vertellen over de vorige decembermaand, dus stel je voor dat er rijp op de grond ligt, en dat er ook een ijskoude sfeer hangt in de studeerkamer, omdat pap geen baan meer heeft en bezig is een sollicitatieformulier in te vullen terwijl mam meekijkt.

DEEL VIII

'Daar moet geen apostrof.'
    Pap tikte op het bureaublad. 'Jawel.'
    'Nee.'
    Pap haalde de apostrof weg. 'Waarom solliciteer jij niet naar die baan in plaats van mij te corrigeren? Jij bent er beter van op de hoogte dan ik.'
    Mam boog zich voorover om te gaan tikken. 'Daar hebben we het al over gehad. Ik wil het er niet weer over hebben.' Ze pakte drie vuile mokken op en liep de kamer uit.

Het huis was schoner en opgeruimder dan ooit, in de badkamer blonken de kranen en het meubilair rook naar boenwas. Er werd strenger de hand gehouden aan onze bedtijd, ons huiswerk werd grondiger doorgenomen, en mam liet me een werkstuk over de Koude Oorlog opnieuw maken, met alle feiten erin die ik eruit had gelaten, en dat waren er behoorlijk wat, want naar wat ik ervan begrijp gebeurde er niet veel tussen Rusland en Amerika, zoals bij een bokswedstrijd waarbij de tegenstanders ieder aan een andere kant van de ring zitten en hun spieren laten zien zonder echt te gaan knokken.

Ze liet Dot ook oefenen met liplezen, bijna elke dag na school, totdat pap zei dat ze ermee moest ophouden.

'Hoe kan ik er nou mee ophouden als jij me geen alternatief geeft?'

'Dot is doodmoe,' zei pap, en inderdaad hing mijn zusje over de armleuning van de leren leunstoel met haar armen langs haar hoofd bungelend. 'Kom op, Jane. Dat was wel voldoende voor vandaag.'

'Ze stelt zich aan,' zei mam, en ze trok Dot op totdat ze weer zat.

'Je bent al een uur bezig!'

'Een uur en een kwartier,' mopperde Soph aan de piano, en ze sloeg een akkoord in mineur aan dat zo zielig klonk dat ik haar bij de hand pakte en meesleurde naar boven, naar de kast in de slaapkamer van mijn ouders.

Mams jurken zwaaiden aan de hangers toen we tussen de schoenen gingen zitten en het ons gemakkelijk maakten. Ik ritste mijn etui open en trakteerde Soph op mijn lievelingsvulpen.

'Wat is er?' vroeg ik in het duister. Het was een vrijdagavond zonder veel maan, dus was het bijna zwart in de kast. Ik pakte een kleurpotlood en inhaleerde diep terwijl Soph op haar lip beet. 'Oké, weet je wat? Jij vertelt me jouw geheim en dan vertel ik jou het mijne.'

Nadat ze daar even over had nagedacht flapte ze eruit: 'Ze schelden me uit.'

'Wie?'

'De meisjes in mijn klas. Allemaal. En vanavond is er een slaapfeestje met een ouijabord en Portia gaat de geest vragen al mijn geheimen te onthullen.'

'Heb je het aan de juf verteld?' Ze keek me aan alsof ik gek was geworden, dus pakte ik allebei haar handen en liet het kleurpotlood in paps schoen aan zijn lot over. 'Je moet het iemand vertellen.' Soph trok haar neus op. 'Dat moet,' merkte ik streng op. 'Aan pap en mam, als je het op school niet durft te vertellen.'

'Oké,' fluisterde ze, en ze knikte zwakjes. 'Als het erger wordt. Misschien aan mam.'

Het was mijn beurt om te vertellen, dus vertelde ik haar over Max.

'Hij vraagt steeds om na school af te spreken bij de kluisjes.'

'En ga je dan?'

'Hij is Max Morgan, toch? Tegen hem zeg je geen nee.'

'En wat gebeurt er dan wanneer je er bent?'

Ik richtte mijn blik hemelwaarts. 'Wat denk je, Soph?'

'Ben je dan zijn vriendinnetje of zo?' vroeg ze terwijl ze aan de vulpen zoog.

'Of zo. Hij heeft me niet gevraagd om met hem uit te gaan.'

'Dus jullie zoenen en kletsen en...'

'Kletsen doen we niet. We zoenen. Niet elke dag. Wanneer hij er zin in heeft. Volgens mij vindt hij me leuk.'

'En jij? Vind jij hem leuk?'

'Jawel,' zei ik, en ik dacht aan zijn donkerbruine haar en zijn donkerbruine ogen, en aan zijn scheve lach die andere meisjes jaloers maakte als hij naar mij lachte.

'Waarom vraag jij hem dan niet uit?' opperde ze, en ik mompelde iets over mam, maar Stuart, dat was niet de reden waarom ik me nergens op vastlegde, en dat weet je heel goed.

Aaron was drie keer in de bibliotheek geweest sinds dat moment bij het raam. Dan schreef hij aan zijn essays en ik zette boeken op de plank, maar terwijl onze lichamen deden of we aan het werk waren, voerden onze ogen een geheime dans uit. Ze keken naar elkaar en dan gauw weer weg. Samen en weg. Samen, vasthouden, knipper, knipper, knipperrr... En dan lachten we naar elkaar, verlegen, en vervolgens begon het allemaal opnieuw. We praatten ook wel, over alles en niets; we fluisterden tussen de schappen en bij zijn tafel en ook een keer in de lobby toen ik affiches ophing voor een leesgroep. Ik vroeg niet naar zijn vriendinnetje en Aaron had het nooit over haar. Echt, ik had geen idee waar ik aan toe was, dus besloot ik alles maar op zijn beloop te laten. Om te kijken wat er zou gaan gebeuren. Dat kon geen kwaad, hield ik mezelf voor. Als er met Aaron niks lichamelijks gebeurde, en ik er niet in toestemde Max' vriendinnetje te zijn, deed ik niets verkeerds.

De laatste keer dat ik voor de kerstdagen in de biblio- theek moest werken, was op 19 december. Het had flink gesneeuwd; de sneeuw lag wel vijftien centimeter dik, rein, wit en vlokkerig, het soort sneeuw dat je van watten op een kerstkaart plakt om de ideale Kerstmis uit te beelden. Elke keer dat de draaideur draaide, keek ik met een glimlach op, maar Aaron liep niet binnen om negen uur, niet om tien uur en niet om elf uur, en toen hij er om twaalf uur nog niet was, ging ik voor de computer hangen met een slappe kerstmuts op, en tikte ik getallen in een spreadsheet over uitleningen.

'Je mag naar huis,' zei mevrouw Simpson toen het één uur werd.

'Ik voer nog een paar getallen in,' zei ik terwijl ik net deed of ik de spreadsheet bestudeerde.

'Dat maak ik wel af.'

'Nee, echt, ik vind het niet erg,' zei ik, en als de muis echt was geweest, Stuart, dan had hij heel hard gepiept omdat ik hem zo stevig omklemde. Mevrouw Simpson zette haar koffiekopje neer en jaagde me weg.

'Ga nou maar, je vader wacht vast op je. O, en Zoe?' Met een zeldzaam lachje drukte ze op het naambordje dat keurig op haar vestje zat gespeld. Dat deed van *ho-ho-ho* en knipperde terwijl ze zwaaide.

De bibliotheek lag in het centrum, en de straten waren vol shoppers en toeristen. Met een diepe zucht liep ik over het trottoir, geërgerd dat pap te laat was.

'Zoe?' hoorde ik rechts van me. 'Zoe!'

Daar was Aaron; hij stond midden op het gazon voor de bibliotheek met een jas aan en twee verschillende handschoenen.

'Jij hier? Ik dacht dat je niet... Hoi!' riep ik uit, niet in staat mijn blijdschap te verhullen.

Aaron wenkte me naar zich toe. 'Leuke muts.'

Ik tikte ertegen, zodat hij wat kwieker ging staan en het bolletje bij mijn kin kwam te hangen. 'Dank je wel.'

'En zo gepast voor de verrassing die ik voor je heb. Prettige kerstdagen!' zei hij, en hij wees op iets waar hij bij stond.

'Eh... Prettige kerstdagen,' zei ik, er niet helemaal zeker van wat ik moest met de enorme sneeuwbal die tot zijn middel kwam.

'Eigenlijk moest hij groter zijn. En ik kon geen pet of pijp vinden.' Wanhopig keek hij me aan. 'Het is Fred! Je Franse sneeuwpop, Fred.' Aaron haalde een croissant uit een zakje en plakte die op de sneeuwpop. '*Voilà!*'

'Maar waar is het hoofd? En de ogen? En de neus?'

'Daar had ik geen tijd voor,' mompelde Aaron. De croissant viel van de sneeuw af en kwam neer aan onze voeten. 'O jezus, wat een zielige sneeuwpop, hè?'

'Een beetje wel,' zei ik lachend, en toen hield ik op met lachen omdat Aaron me hoofdschuddend aankeek.

'Goh, wat heb je een sexy lach.' Mijn gezicht was koud en mijn tenen waren bevroren, maar vanbinnen was ik heel, heel erg warm. 'Je gegiechel... Dat staat op dezelfde plaats als het niezen van mijn vader en het gepiep van verse boontjes op mijn hitparade van mijn favoriete geluiden.'

'Het niezen van je vader?' herhaalde ik, omdat ik niets anders kon verzinnen om te zeggen. Hij deed het na, met een heel harde HAAA en dan belachelijk stil en hoog bij de *tsjoe-oe*, en stak vervolgens zijn handen uit. Ik knikte instemmend. 'Een geweldig geluid.'

'Dat hoorde ik heel vaak, elke avond. Weet je, we hadden een kat. Een lelijk mormel...'

'Niet zo vals!'

'Jij hebt haar niet gezien! Ze was dik, echt vet, en ze had heel veel haar en een platte kop. Toch was ik dol op haar. En mijn vader ook. Ik bedoel, hij is allergisch voor katten, maar ze mocht bij hem op schoot zitten, en dan moest hij de hele avond niezen. Mijn moeder zei dan dat hij stom was en de kat in de keuken moest zetten, maar mijn vader zei dat hij van de kat hield en de kat van hem, en dat hij het niet erg vond. "Ware liefde gaat over opofferingen." Dat zei mijn vader.'

'Jezus zei ook zoiets.'

'Ja. Maar Jezus deed het niet met de buurvrouw, waardoor dat gepraat over ware liefde nergens op sloeg.'

'Misschien deed hij dat wel,' mompelde ik, verrast door de bittere toon waarop Aaron dat laatste had gezegd. 'Volgens mij zijn de sappige stukjes uit de Bijbel gelaten. Jezus was toch een man? Hij ging naar de plee. Hij boerde.' Ik trok mijn wenkbrauwen op. 'Hij krabde zich dáár als niemand keek. Misschien had hij ook wel iets met iemand.'

'Jij...' zei Aaron, terwijl hij over de croissant heen stapte zodat hij ineens vlak voor me stond, 'jij bent officieel uniek.' Gauw schudde ik mijn hoofd. 'Jawel, Zoe. De boerende Zoon van God? Een wezentje met blauw bont dat Bizzie heet?' ging hij verder, waarmee hij heel veel punten verdiende omdat hij die naam had onthouden. 'Wie anders verbeeldt zich zoveel?'

'Kweenie, maar ik denk dat de boer van Jezus wel op mijn lijst van favoriete geluiden zou komen te staan.'

Aaron lachte, en zijn adem voelde warm op mijn gezicht. 'En wat nog meer?'

Nadenkend trok ik mijn neus op. 'Het geluid van vleugels als vogels opstijgen. Dat is echt cool.'

'Het geluid van vrijheid.'

'Precies,' reageerde ik, verwonderd dat hij dat had begrepen zonder dat ik het had hoeven uitleggen. 'O, en weet je wat nog meer?' vroeg ik, maar ik kreeg niet de kans hem te vertellen over het getik van Skulls nagels op de tegels van de keukenvloer, omdat Aarons mobiel opeens ging, en dat geluid beviel me totaal niet. Allebei keken we naar de naam in het schermpje.

ANNA.

'Ik moet gaan,' zei ik plotseling.

'Nee, het doet er niet toe.' Zijn mobiel werd weer stil en hij stopte hem terug in zijn zak. 'Zij kan wel wachten... Maar mijn moeder niet,' zei hij, en dat klonk teleurgesteld, terwijl hij over me heen keek. Ik draaide me om en zag een mollige vrouw met zwart haar met mahoniekleurige highlights snel op de bibliotheek af komen. Ze keek aandachtig naar ons. 'Ik heb gezegd dat ik haar naar huis zou brengen.'

'Geeft niet. Mijn vader komt toch zo.'

Hij bukte om de croissant op te rapen en plakte die toen weer op de sneeuwpop, waar hij deze keer bleef zitten. 'Dag, Vogelmeisje.'

'Dag,' zei ik, en ik grijnsde toen hij naar zijn moeder rende, met zijn woorden nog in mijn oren.

Zij kan wel wachten...

Nou, daarna kon ik me er natuurlijk niet van weerhouden hem een berichtje te sturen, hoewel het me lukte dat uit te stellen tot de avond, om maar niet te begerig te lijken:

Dank je wel voor de verrassing. Fred was ongetwijfeld de beste niet-sneeuwpop ooit.

Dat zou ik niet willen zeggen, kwam zijn onmiddellijke reactie. *Heb je* The Snowman *gezien? Dat jongetje dat op het laatst wakker wordt en alleen nog maar een hoopje sneeuw ziet? Dat is de beste niet-sneeuwpop.*

Nietes! Dat was een klodder sneeuw, een dode sneeuwpop. Fred is veel beter.

Fred waardeert je aardige woorden, maar hij weet best dat hij zich niet kan meten met een sneeuwpop die HELEMAAL NAAR DE ZUIDPOOL IS GEVLOGEN.

De Noordpool toch?

Maakt niet uit. Waar dan ook. HIJ VLOOG DOOR DE LUCHT.

Maar Freds lach is van een luxebroodje gemaakt. Dat is heel wat waard...

Het gesprek ging nog steeds verder terwijl ik met kaplaarzen aan het vogelzaad bijvulde, klaar voor de volgende morgen. Mijn mobieltje trilde tegen mijn bovenbeen terwijl ik het zaad in het buisje van fijn kippengaas deed. Met een glimlach haalde ik het toestel uit mijn zak.

Ik mis het zoenen met jou ha xx

Mijn gezicht betrok. Max. Ik schrok toen mijn mobieltje weer geluid maakte.

Dat is heel wat waard, dat moet ik je nageven. Droom fijn, Vogelmeisje. PS Fred zegt bonne nuit *vanuit de bocht van zijn croissant x*

Ik moest lachen. Ik kon er niets aan doen; ik zag de twee broers voor me, naast elkaar in dezelfde kamer, met hun mobiels, en zonder ook maar enig benul dat ze berichtjes naar hetzelfde meisje stuurden. Het buisje met vogelzaad zwaaide heen en weer aan de tak terwijl ik omhoogkeek naar de sterren. Aaron vond me leuk. En ik vond hem leuk. Vriendinnetje of niet, ik was niet eerlijk tegenover Max. Ik besloot de komende dagen alles te laten bekoelen en er na Kerstmis een punt achter te zetten.

Wat een verrassing: de dagen voor Kerstmis hebben mijn ouders aldoor ruzie zitten maken.

'Hoe weet je nou waar die vogels hebben gezeten? Ze kunnen best "vrije uitloop" op de verpakking hebben gezet opdat sukkels zoals wij er twee keer zoveel voor betalen als..'

'Als er "vrije uitloop" op staat, is het "vrije uitloop",' viel mam hem in de rede, en ze gooide worteltjes in het supermarktkarretje en liep verder. 'Daar zijn wetten over, zoals jij zou moeten weten. Je was toch advocaat?'

'Jij toch ook?' reageerde pap, terwijl ik er kotsmisselijk achteraan slenterde. Ik keek naar de rimpels in mams voorhoofd en de frons op paps gezicht, en zijn over elkaar geslagen armen en mams handen, waarmee ze de stang van het karretje omklemde, geen van beiden van zins om toe te geven, en Stuart, eerlijk waar, het was net alsof bij de aardappelen op de groente-afdeling de Koude Oorlog nog woedde.

'Hoor eens, waarom zoveel geld uitgeven aan een kalkoen als we krap bij kas zitten?' zei pap.

'We zitten alleen maar krap bij kas doordat jij geen...' Op het laatste moment hield mam haar mond en pakte ze een zak spruitjes.

'Toe dan,' grauwde pap. 'Toe dan. Zeg het dan!'

'Denk je dat dit genoeg spruitjes zijn?' vroeg mam, terwijl ze de zak op haar hand woog.

Uiteindelijk kreeg mam haar zin met de kalkoen, en ondanks alles was het een goudbruin gebraden en verrukkelijke kalkoen, en hij rook heerlijk terwijl hij op kerstochtend in de oven lag terwijl wij cadeautjes uitwisselden. Deze keer had opa ook iets gestuurd: kerstkaarten met geld erin (ook al waren ze in paps handschrift beschreven). Pap straalde toen Soph het bankbiljet van twintig pond in de tailleband van haar pyjamabroek stopte. Hij vroeg mam of het oké was om ons mee te nemen naar het ziekenhuis, misschien op tweede kerstdag, maar mam spoot haar nieuwe parfum op haar polsen en rook er met gesloten ogen aan.

'De Kerstman is stom,' gebaarde Dot toen pap en mam de woonkamer uit waren om in de keuken dingen te doen. Het gebaren ging haar makkelijker af omdat het gips eraf was. 'Hij heeft niet eens mijn verlanglijst gelezen.'

'Wat had je dan gevraagd?'

'Een iPod.'

'Maar je kunt geen muziek horen.'

'Of een mobieltje, zodat ik een upgrade kan krijgen.'
Ze stak haar kapotte rekenmachientje op en drukte
bedroefd op de toetsjes.

's Avonds was ze opgevrolijkt en stormde helemaal bloot
mijn kamer in om te vragen of ik haar nieuwe bubbel-
bad wilde ruiken. Nadat ik haar had opgetild en in bad
had gezet, snoof ik eens goed.

'Sinaasappel?' gebaarde ik. 'Of perzik? Of aardbei,
banaan en kiwi door elkaar geroerd?' grapte ik terwijl
Soph haar gezicht vertrok. Ze zat met haar rug tegen de
radiator met Skull; ze moedigde hem aan te springen
over de hindernis die ze had gemaakt van een fles anti-
roosshampoo en twee stukken zeep. Dot spetterde in het
water en vertelde me over een project over de toekomst
waar ze op school aan was begonnen, en dat haar klas
een tijdcapsule ging maken bestaande uit een doos vol
spullen die ze gingen begraven.

'Ik ga er één ding in stoppen en dat is een
paardenbloem.'

'Een paardenbloem?'

'Om de aliens over honderd jaar te laten zien welke
bloemen we nu hebben,' legde Dot uit. Soph grijnsde
en ik ook, en Dot straalde tussen de belletjes, maar ik
geloof niet dat ze snapte wat er nou zo grappig was.

'Over honderd jaar is die paardenbloem allang dood,'
zei Soph hardop.

'Sst!' zei ik waarschuwend, maar Soph trok een
gezicht.

'Dot, die paardenbloem gaat rotten,' gebaarde ik duidelijk. Dot fronste haar voorhoofd.

'Maar niet als je hem zorgvuldig begraaft,' gebaarde
ik met een boze blik op Soph, die haar tong uitstak.
'Dan blijft hij goed.'

'Denk je dat de aliens hem mooi zullen vinden?' vroeg
Dot.

Ik tilde haar uit bad en wikkelde haar in een hand-
doek. 'Ze zullen hem prachtig vinden.'

Toen ze droog was, stopte ik haar in bed en deed mijn
best mam en pap te negeren, die beneden ruziemaakten
over wie de afwas moest doen. Samen met Dot onder
het dekbed vertelde ik al gebarend een verhaal over een
groen mannetje dat in het voetgangerslicht woonde.
Toen het was afgelopen, gebaarde ze dat ik het nog eens
moest vertellen.

'Hebberd!' zei ik terwijl ik haar kietelde.

'Wil je anders liever je kerstcadeautje?' vroeg ze.
Voordat ik iets kon zeggen zat ze al op haar mollige
knietjes op de grond en trok een pakje in een plastic
tasje onder het bed vandaan.

'Een boek!'

'Dat is het cadeautje niet,' reageerde Dot, en ze sloeg
de eerste bladzij voorzichtig op. 'Bloemen rotten niet,
Zoe. Kijk maar.' Tussen de eerste twee bladzijden lag een
platte, gedroogde paardenbloem. 'Toen in de tuin zei je
dat dit je lievelingsbloemen waren.'

'Dat zijn ze ook,' zei ik, en Stuart, dat was niet gelogen,
want opeens waren ze dat.

geel

'Prettige kerstdagen,' gebaarde ze.

'Prettige kerstdagen,' fluisterde ik, en Stuart, nu is het tijd dat ik weg moet, dus jij ook prettige kerstdagen.

Liefs
Zoe x

Fictiepad 1
Bath

1 januari

Hoi Stuart,

Nou, ik wou je met het glas in de hand gelukkig Nieuwjaar en zo wensen, maar misschien is dat niet gepast.
Waarschijnlijk blijven gevangenen niet op tot twaalf uur,
zoals alle anderen op de wereld, omdat ze niks te vieren
hebben. Normaal gesproken denken mensen op 31 december over de goede dingen die ze het afgelopen jaar
hebben gedaan en kijken vooruit naar de leuke dingen
die ze het volgende jaar gaan doen, zoals klaar zijn met
school, rijles nemen of gaan studeren of zoiets. Gevangenen hebben niets om blij over te zijn – althans, dat
begrijp ik ervan, tenzij terdoodveroordeelden blij zijn als
de klok slaat omdat ze dan dichter bij de dag van hun
terechtstelling zijn. Of misschien steken ze hun handen
in de lucht omdat ze weer een jaar achter de rug hebben,
een jaar waarvan ze niet dachten dat ze dat zouden
krijgen, want leven in iets wat ongeveer zo groot is als
dit schuurtje is beter dan helemaal niet leven.

Stuart, dat is allemaal heel treurig, en het doet me om heel eerlijk te zijn een beetje denken aan *Een kerstvertelling*. Als je nog nooit Dickens hebt gelezen of *The Muppet Show* gezien, dan zal ik even uitleggen dat Bob Cratchit heel erg arm was en voor zijn gezin alleen maar een heel kleine negentiende-eeuwse gans kon kopen op 25 december, maar zijn kinderen keken ernaar alsof het een reuzegrote vogel was met heel veel mals vlees waar ze nog weken van konden eten, en ze klapten in hun handen toen de gans op tafel werd gezet. Dat in hun handen klappen lijkt een beetje overdreven voor wat ze kregen, maar dat is net zoiets als in je oranje overall je eigen hand vasthouden als je 'Auld Lang Syne' zingt en het beetje leven viert dat je in je cel leidt.

Voor het geval je het je afvraagt: *auld lang syne* is Schots en betekent zoiets als: 'vanwege vroeger' – althans, volgens mijn aardrijkskundelerares, en zij kan het weten, want ze is gek op *haggis* en dat is typisch Schots. We zingen het om de fijne tijd te gedenken die we met mensen van vroeger hebben gehad, en dat is heel wat beter dan wat ik eerst dacht dat het betekende. Lauren heeft me twaalf maanden geleden de tekst geleerd, en ik denk dat we daar vanavond mee beginnen, dat ze zich suf gaat lachen omdat ik de tekst verkeerd had verstaan en dacht dat iedereen het einde van het jaar vierde door te zingen over het gezichtsvermogen van de bejaarde Lan.

DEEL IX

'*Old Lan's Eye!* Dat dacht je toch niet echt?'

'Hou je kop,' zei ik, en ik gaf haar een mep met een ballon omdat we alles aan het klaarmaken waren voor haar feest. Lauren had pas in de ochtend besloten mensen uit te nodigen, nadat haar moeder had aangekondigd dat haar vriend haar had verrast met een lang weekend in Londen. 'Ze gaan het doen in het Hilton.'

Ik blies een ballon op.

'Hoeveel komen er vanavond?'

Lauren trok de ballon uit mijn hand, legde onderaan een knoopje en zwiepte hem naar de aangroeiende berg.

'Geen idee. Ik heb iedereen gevraagd die ik ken, dus

hopelijk komen er veel. Mijn broer heeft ook een paar
matties uitgenodigd.' Ze gaf me een por. 'Max zei dat hij
kwam.' Toen ik daar niet op reageerde, zei ze: 'Dat vind
je toch leuk?'

'Ja. Ja, tuurlijk,' zei ik, en ik plakte een lach op mijn
gezicht, hoewel ik dacht aan alle berichtjes die hij met
Kerstmis had gestuurd, en de weinige reacties die hij
daarop van mij had gekregen. Voldoende om beleefd te
blijven, al moet het wel duidelijk zijn geweest dat ik niet
meer echt geïnteresseerd was.

'Mooi! Want als jij hem niet meer wilt, neem ik hem
wel. Echt. Voor de kerstvakantie hoorde ik meisjes over
je praten bij de toiletten, en die zeiden dat je zo verschrikkelijk bofte, en Becky met de gekke nek zei dat
ze al drie jaar op hem was – niet dat ze kans maakt,
tenzij Max iets met zwanen heeft.' Ik glimlachte op de
juiste momenten. 'Zo, klaar,' zei Lauren toen de laatste
ballon was opgeblazen en bij de berg was gezwiept.
'Jij mag eerst douchen. Je moet je klaarmaken voor
je geliefde...'

Stuart, het verbaast je waarschijnlijk dat ik naar het feest
mocht, maar mam wist er niets van. Ze vond het goed
dat ik bij Lauren bleef slapen omdat ik zei dat het een
avondje thuis was voor meisjes, en als je het je afvraagt:
nee, na al dat geruzie met Kerstmis voelde ik me helemaal niet schuldig omdat ik had gelogen.

'Blijven slapen? Wat gaan jullie dan doen?' had mam
gevraagd.

'Gewoon. Nagels lakken, film kijken,' had ik geantwoord.

'Niet een te felle kleur op je nagels,' had ze gezegd.
'Over een paar dagen begint school weer. En niet naar

films kijken die niet gepast zijn, popje. Geen horror of zo. Wil je die tekenfilm over de reus mee?'

Een paar uur later lag *Shrek* aan zijn lot overgelaten op Laurens bed, en het was hartstikke druk in huis, en ik bedoel echt overvol, zoals de koffers die ik meeneem met vakantie waarvan de rits op knappen staat omdat ik altijd veel meeneem. Ik ging in de keuken bij de tafel met drank staan en stak mijn hand langs vijf rijen gasten om een paar chips en een fles wijn te kunnen pakken. Ik dacht aan mam terwijl ik de kurk eraf haalde, maar ik schonk mezelf toch een groot glas in, en echt waar, dat stond geweldig in mijn hand doordat de wijn en mijn nagels dezelfde kleur donkerrood hadden.

Er klonk muziek, en iedereen ging dansen waar ze waren, in de gang, op de veranda of in de woonkamer; ze bewogen op de maat van de dreunende bassen, de drankjes klotsten uit de plastic bekertjes, de mokken en zelfs het melkkannetje omdat Lauren geen glazen meer had. Heupen zwierden, schouders schokten en hoofden gingen heen en weer; iedereen bewoog als één, en voor het eerst maakte ik er deel van uit, helemaal *woeoeoe* en met mijn armen zwaaiend in de keuken bij de broodrooster.

Gek dat je ogen zo slim kunnen zijn dat je dingen vanuit je ooghoeken ziet als je naar iets staart wat pal voor je neus staat. Lauren zwierde in een glittertopje onder mijn arm door, maar vanuit mijn ooghoeken zag ik een zwart jasje en rood haar, vlammen op kool die zwakjes op mijn radar flakkerden. Mijn maag draaide zich om van herkenning, en ja hoor, Anna kwam binnen met achter zich aan Aaron in een te grote trui. Laurens broer moest hen hebben uitgenodigd, dat was de enige verklaring, en ik vergat te dansen en kon alleen maar staren. Na al dat flirten. Na de sneeuwpop. Ik balde mijn vuisten toen Aaron lachte om iets wat het meisje in zijn oor fluisterde. Hij had gelogen, Stuart, toen hij me vertelde dat hij geen plannen had voor oud en nieuw. Toegegeven: dat had ik hém ook verteld, omdat ik niet wilde dat hij zou weten dat ik naar het feest ging waar zijn broer ook zou zijn, maar toch. Verslagen zag ik Aaron Anna's arm aanraken en vragen of ze iets wilde drinken, en hij wees naar de tafel rechts van me, met het bier, de wijn en de wodka erop.

NEE!

Ik weet niet of ik dat hardop zei of in mijn hoofd toen het meisje knikte en Aaron mijn kant uit liep. Mijn eerste ingeving was om me te verstoppen, maar waar? Achter de leunstoel in de hoek? In de kasten, naast de ontbijt-granen? In paniek dook ik weg achter een lange jongen met puistjes toen Aaron zich langs Lauren wrong. Mijn hart ging sneller slaan. Hij was bij de tafel met de drank gekomen. Mijn hart ging nog sneller slaan. Hij knikte de jongen met puistjes toe. Mijn hart ontplofte. Eén meter bij me vandaan, zo dichtbij was hij, en ik mocht me niet laten zien, want hij was hier met een ander meisje, en zijn broer was waarschijnlijk ook ergens in huis.

In elkaar gedoken wendde ik me af van de tafel, vast-besloten de andere kant op te kijken totdat hij weg was, maar die Orpheus besefte in de onderwereld al dat dat makkelijker klinkt dan het is. Orpheus is iemand uit de Griekse mythologie, voor het geval je het je afvraagt, en om zijn vrouw te redden moest hij haar wegleiden van het gevaar zonder achterom te kijken om haar gezicht te zien. Net toen hij daar bijna in was geslaagd, keek hij even achterom, en toen werd zijn vrouw lucht. Wanneer ik naar Aaron keek, werd hij helaas geen lucht. Nee, hij was bezig een nacho te eten, zo dichtbij dat ik het bijna kon horen kraken.

Hij pakte twee blikjes bier en zwaaide daarmee terwijl hij terugliep naar het meisje. Toen ik op mijn tenen ging staan, zag ik hem over haar rug strijken om haar te laten weten dat hij er weer was, en zijn DNA glinsterde tussen haar schouderbladen. Met mijn hoofd naar beneden wrong ik me door de menigte heen, uit de keuken en de gang in, in een wanhopige poging om weg te komen, maar toen ik op de trap was, pakte iemand mijn hand.

Ik keek van de vingers naar de hand, van de hand naar de pols, van de pols naar de arm, en mijn hart klopte steeds sneller en bleef zowat stilstaan toen het tot me doordrong dat het Max' hand was en niet die van zijn broer. Hij rekte zich uit om het contact te bewaren, en af en toe zag ik zijn gezicht en dan weer niet doordat er mensen de trap op en af gingen. Hij riep iets wat ik niet kon verstaan en omklemde mijn pols en trok. Eerst stribbelde ik tegen. Toen trok hij harder, hij trok me van de trap naar zich toe. En naar Aaron. De wijn klotste uit mijn glas.

'Buiten,' zei Max, zag ik aan zijn mond.

Hij hield me stevig vast terwijl we door de gang liepen, ik met mijn blik op de vloerbedekking gericht, doodsbang om te worden gezien. Toen de voordeur in zicht kwam, maakte ik het makkelijk voor Max en zette ik de pas erin, want weet je, Stuart, ik wilde verdwijnen. Ik moest weg uit dat huis, weg van Aaron en het meisje met het lange rode haar. Ik stapte over benen en wrong me tussen mensen door. De muziek klonk luider en het werd warmer in de gang, en we kwamen minder snel vooruit terwijl we ons best deden om op de veranda te komen.

Eindelijk had Max de koperen deurknop te pakken. Hij trok er hard aan en trok mij toen mee de tuin in. De sneeuw kraakte onder onze voeten, ijspegels glinsterden aan de vensterbanken, en kale takken waren als zwarte strepen tegen het oranje licht van de straatlantaarns. Max bracht me naar achter een den en het huis verdween uit het zicht.

'Het is daar een gekkenhuis,' zei ik merkwaardig toonloos.

'Maar hier is het fijn,' reageerde Max, en hij gaf me zijn blauwe jasje. 'Hier. Trek aan.' Terwijl ik het jasje om mijn schouders sloeg, morste ik nog meer wijn uit mijn glas en dat maakte de grond rood met wit. 'Fijn je weer eens te zien.'

'Vind ik ook,' zei ik, want Stuart, dat was ook wel zo. Hij lachte alsof hij opgelucht was. Toen trok hij me tussen zijn benen, en natuurlijk liet ik hem dat doen, want hij was sterk en stevig, en Aaron was binnen met een ander meisje. Ik zette mijn glas op een muurtje en vouwde mijn handen in mijn nek. 'Was Kerstmis oké?'

'Het was saai,' mompelde Max, en hij begon me meteen te zoenen, en zijn lippen waren zacht en vertrouwd, en ze hadden iets vertroostends.

Ergens rechts van me klonk een kuchje. Ik trok me los, bang dat het Aaron was, maar er kwam een man de hoek om die zijn hond aan het uitlaten was.

De voordeur piepte. Weer schrok ik. Ik boog de dennentakken naar opzij en tuurde erdoorheen om te kijken wie het was, maar het was gewoon een meisje dat een sigaret opstak.

Max wreef over mijn arm. 'Je bent nogal schrikachtig.'
Ik beet op mijn lip en zei vervolgens: 'Zullen we ergens naartoe gaan waar het wat meer privé is?'
Max lachte zelfvoldaan en drukte toen een kus op het puntje van mijn koude neus. 'Waar had je gedacht?'
Ik bewoog mijn gezicht naar opzij, maar toen drukte Max zijn lippen in mijn hals, terwijl hij zijn handen op mijn billen legde. 'Eh... Nee. Ik bedoel, het is hier zo open en bloot. En ik heb het ijskoud.'
Max dacht even na. 'Wacht hier,' zei hij, en voordat ik bezwaar kon maken was hij al weggerend.

Een paar minuten later kwam hij terug met iets zilverkleurigs rinkelend in zijn hand. Hij zwaaide met die sleuteltjes.
'De auto van mijn broer staat verderop!'
Mijn mond viel open. 'Dat kunnen we niet maken.'
'Rustig maar. Mijn broer is cool. Ik heb het gevraagd,' zei Max, en hij ging al op weg.

Ik bleef staan waar ik stond, en mijn hart bonsde.
'Je hebt het gevráágd? Wat zei je dan?'

Max draaide zich om en ging achteruitlopen terwijl hij me wenkte met zijn vinger. 'Ik zei dat ik een
meisje had en dat we ergens wilden zijn waar het
warm was. "Gewoon om te praten," zei ik, maar mijn
broer lachte, alsof hij precies wist wat ik eigenlijk voor
ogen had.'

In paniek rende ik achter Max aan. 'Heb je ook gezegd
wie ik was? Heb je mijn naam genoemd?'

Max deed zijn mond open om antwoord te geven,
aarzelde en vroeg toen: 'Hoezo?'

Het kostte veel moeite om achteloos te klinken.
'Och... Nou ja, ik wil niet de naam krijgen. Niet na dat
gedoe met die foto.'

Max legde zijn hand op mijn rug en duwde me voorzichtig in de richting van de auto. DORIs werd zichtbaar
aan het eind van de straat. Ik dacht aan de dobbelsteentjes aan het spiegeltje. Miss Scarlett.

'Misschien kunnen we beter teruggaan naar het feest,'
opperde ik.

Max duwde me iets minder voorzichtig verder. 'Rustig
nou maar. Er is niets om je zorgen over te maken. Ik heb
mijn broer niet verteld hoe je heet.'

'Nou ja, ik vind het toch niet echt een goed idee.'

Geërgerd zuchtte Max. 'Waarom niet?'

'Nou, omdat... Gewoon, ik weet niet... Het is een
beetje...'

'Kom op, Zoe,' zei Max geërgerd, en er was niets voor-
zichtigs meer aan zijn duwen. 'Ik heb je tijdens de
kerstdagen niet gezien en ik ben...'

'Wat ben je precies?' vroeg ik, en ik zette me schrap, zodat hij me niet verder kon duwen.

'Je weet wel,' zei hij, om het speels te laten klinken. 'En jij wilt het ook, dat weet ik gewoon,' fluisterde hij in mijn oor.

'Laten we teruggaan naar het huis,' smeekte ik. Toen Max zijn wenkbrauwen fronste, voegde ik eraan toe: 'Een kamer zoeken.' Ik kwam dichter bij hem staan en ging zachter praten, hoewel ik het vreselijk vond om te zeggen, maar alles was geoorloofd als ik maar weg kon bij Aarons auto. 'Een kamer met een bed.'

De sleuteltjes verdwenen in Max' broekzak. 'Goed idee.'

We gingen lopen.

Daar was het muurtje. Daar was de boom. En het meisje dat een sigaret aan het roken was.

Daar was de oprit. En de deur. En het huis vol mensen die in het duister niet afzonderlijk zichtbaar waren. Aaron kon overal zijn.

Maar hij was niet overal, Stuart. Hij stond vlak voor ons, in de deuropening, met zijn gezicht naar binnen gericht. Met grote ogen staarde ik geschrokken naar zijn achterhoofd.

Max wees. 'Dat is mijn broer. Die daar.'

'Laten we omlopen,' piepte ik. Zonder op Max' reactie te wachten trok ik hem mee door de tuin. Hij haalde diep adem en deed zijn mond open, en toen drong het tot mijn grote schrik tot me door dat hij ging roepen.

'Aaron!'

Ik liet Max' hand los net op het moment dat Aaron zich omdraaide. Ik zag een oor. Een neus. Ik sprong meters naar rechts en verdween in de schaduw.

'Nu al terug?' zei Aaron. Er rinkelde iets. Dat waren de autosleutels die door de lucht werden gegooid.

'We zijn van gedachten veranderd.'

'We?' vroeg Aaron, en ik stelde me voor dat hij heen en weer keek, zoekend naar nog iemand. Ik zei tegen mezelf dat ik niet mocht kijken, maar dat deed ik natuurlijk toch, en toen ik Aaron deze keer zag, wenste ik hartgrondig dat er echt een onderwereld bestond die Aaron de duisternis in kon zuigen.

Hij kneep zijn ogen tot spleetjes en tuurde naar het meisje in de schaduw dat het jasje van zijn broer om zich heen had geslagen.

'Aaron, dit is Zoe,' zei Max.

'Zoe?' zei Aaron, en iets in zijn stem gaf me buikpijn. Ik stapte uit de schaduw, want Stuart, ik was erbij. 'Zoe,' zei Aaron weer. 'Ben je met mijn broer?'

'Alleen vanavond,' zei ik gauw.

Max sloeg zijn arm om me heen. 'Ja, en al die andere keren.'

'Die andere keren? Zoals wanneer?' Aaron besefte dat het misschien een rare vraag was en forceerde een lachje. 'Hoelang hou je dit al stil, Max?'

'Niet zo lang,' antwoordde Max, blij met al die aandacht. 'Sinds 6 september.'

'September?'

Max snapte niet waarom zijn broer zo verbaasd klonk.

'Nou ja, iedereen heeft wel geheimen. Jij zegt ook nooit wat over...'

'Omdat er niks te vertellen valt,' zei Aaron. Ik rechtte mijn rug. Ik was dan wel niet onschuldig, maar Aaron ook niet.

'En jouw...' Ik wilde net 'Anna' zeggen, maar vond ineens dat dat achterdocht kon wekken.

'Mijn wat?'

'Je vriendinnetje,' mompelde ik, en ik wees naar binnen. 'Dat meisje met het rode haar.'

'Anna?' Max klonk verbaasd. 'Bedoel je haar?'

'Dat is gewoon een vriendin,' zei Aaron. 'Ik ken haar al vanaf mijn vierde.'

'Maar... Maar ik heb jullie samen gezien. Toen bij het vreugdevuur,' wierp ik tegen. 'Jullie omhelsden elkaar en ze...'

'Ze had het net uitgemaakt met haar vriendje,' legde Aaron uit. 'Ik had haar een beetje onder mijn hoede genomen. Ze is als een zusje of een nichtje of zoiets.'

'Oké,' zei ik, en het verbaasde me dat het er zo gewoon uit kwam, terwijl ik vanbinnen wel kon gillen.

'Heel anders dan jullie tweetjes,' zei Aaron, en hij liep met zijn handen in zijn zakken de tuin in. 'Waarom heb je haar geheimgehouden, Max? Verlegen geworden of zo?' Het klonk luchtig, en Max lachte.

'Nou ja, ze is bij ons thuis geweest. Ik kan er ook niks aan doen dat jij er niet was.'

Ik sloot mijn ogen.

'O ja?' zei Aaron, en hoewel hij luchtig klonk, kneep hij zijn lippen even op elkaar. 'Wanneer?'

'Kweenie, in november of zo. Toen ben je best vaak bij me geweest, toch?'

Langzaam deed ik mijn ogen open.

'Ja. Ja, klopt.'

Het ging harder waaien, Max' jasje werd om me heen geblazen. Ook al had ik het koud, toch wilde ik het het liefst van me af rukken en op de grond gooien.

'Kom, we gaan naar binnen,' zei Max, en hij pakte mijn hand.

'Eigenlijk voel ik me niet helemaal lekker,' zei ik, en ik liet zijn hand los. 'Ik denk dat ik beter naar huis kan gaan.' Ik trok Max' jasje uit. 'Ik moet gaan liggen. Alleen,' zei ik erbij, omdat Max had geknipoogd.

Zonder naar de broers te kijken liep ik weg over het gras, en ik wilde dolgraag mijn ouders bellen om te vragen of ik kon worden gehaald.

Max riep me na: 'En je jas dan en zo?'

Ik bleef staan en vloekte zacht. 'Eh... die ligt in Laurens kamer. Kun jij hem even halen?' Max keek niet erg blij, maar hij ging toch naar binnen, zodat Aaron en ik alleen buiten waren.

We zeiden geen van beiden iets.

Ik vroeg me af of zijn hart net zo bonkte als het mijne.

'Het spijt me,' zei ik uiteindelijk. 'Ik had het moeten zeggen.'

Aaron snoof. 'Je hoeft je niet te verontschuldigen. Tussen ons is niets gebeurd.'

Ik slikte moeizaam. Zwijgend pulkte ik aan mijn vingers. 'Er was iets...'

Aaron keek verbaasd. 'O ja?'

Ik stapte naar hem toe en mompelde: 'Dat weet je heel goed.'

Aaron sloeg zijn armen over elkaar. 'Je bent gewoon een meisje dat ik voortdurend tegenkom. Iemand die ik nauwelijks ken.'

Dat kwam aan. 'Dat meen je niet.'

Hij knikte, iets te lang. 'Toch wel. Mijn broer en jij, jullie passen goed bij elkaar.'

'We hebben niets met elkaar.'

'Het ziet er anders wel naar uit.'

Ik veegde het haar uit mijn gezicht. 'Het spijt me, oké?'

Aaron hield zijn stem gelijkmatig. 'Ik zei al dat je je niet hoeft te verontschuldigen. Je mag met iedereen gaan die je maar wilt. Waarom niet?'

'Omdat we...'

'We zijn bevriend,' zei Aaron. 'Als er al sprake is van vriendschap. We zijn eerder kennissen.'

'Oké.'

'Ja, oké,' zei Aaron neerbuigend, alsof ik gek aan het doen was of zo. Kwaad keek ik hem aan, en Stuart, misschien had ik er geen recht op om kwaad te zijn, maar zeg dat maar eens tegen de woede die in me opwelde.

'Wat jij wilt!'

'Dat wil ik,' reageerde Aaron, nog net zo gelijkmatig. Hij lachte, maar niet met zijn ogen. 'Veel plezier met mijn broer,' zei hij voordat hij terugliep naar het feest, en terwijl ik hem nakeek, besloot ik dat ik inderdaad plezier met Max zou gaan hebben.

De eerste ochtend van het jaar begon met een helder-rode zonsopgang, alsof al mijn woede in de lucht brandde.

Ik had nauwelijks geslapen; ik had liggen woelen terwijl ik het gesprek steeds maar overdeed in mijn hoofd, totdat ik nauwelijks meer wist wat Aaron had gezegd en wat ik had gezegd, maar ik wist wel dat hij Ongelijk had, en Stuart, die hoofdletter is expres, zodat je kunt zien dat ik echt overtuigd was van mijn Gelijk.

Ik rukte de ijskast open en schonk veel te ruw melk in, terwijl ik mijn wraak overdacht. Ik zou ervoor zorgen dat Max van me ging houden, en misschien ging ik ook wel van hem houden, en dan zouden we bergen beklimmen en in de mist op de top zitten, en ik zou geen huiswerk meer maken, en dan zou iedereen vreselijk op zijn neus kijken. Ik mikte het lepeltje in de gootsteen, waar het kletterend tegen een kommetje aan kwam.

'Jij ook gelukkig Nieuwjaar,' zei Soph met haar mond vol cornflakes.

'Denk aan je manieren, Soph,' zei mijn moeder, en ze keek op van de laptop.

Alleen Dot had een goed humeur. Ze liep rond met een lijst goede voornemens die in kleurpotlood op een groot vel papier stonden.

'Nou, eerst ga ik op dieet,' gebaarde ze, en ze wees op haar mollige buikje. 'En dan ga ik leren vliegen door naar vogels te kijken, en mijn derde goede voornemen is dat ik voor iedereen aardig ga zijn, behalve juffen en onbekenden die me misschien willen ontvoeren, en het vierde is...' Zo ging ze maar door, en toen ging ze bij mij op schoot zitten en vroeg naar mijn voornemens.

'Ik heb er geen.'

'Niet hard werken en aan het eind van het jaar hoge

cijfers bij het examen?' vroeg mam met haar blik gericht op een site over gehoorsimplantaten.

'Het is toch maar een oefenexamen.'

'Die zijn ook belangrijk, Zoe. Als je rechten gaat studeren...'

'Wie zegt dat ik rechten ga studeren?' snauwde ik.

Mam tikte snel iets in. 'Nou, wat wilde je dan gaan doen?'

'Schrijven of zo. Of iets anders. Ik weet het nog niet. Ik heb geen plannen.'

'Belachelijk,' verzuchtte mam, en ze klikte met de muis.

'Helemaal niet,' reageerde ik mokkend. 'Er is toch geen haast bij? Ik zie wel als ik klaar ben met school.' Mam klakte met haar tong, en ik klakte terug met mijn tong en toen moest ik naar mijn kamer omdat ik brutaal was.

In mijn kamer was het een zooi, maar ik ruimde niets op. Ik ging aan mijn bureau zitten wachten op Aarons excuses. Stuart, ik weet niet wanneer mobieltjes zijn uitgevonden, of dat voor of na je proces wegens moord was, dus misschien heb jij nooit uren op een berichtje hoeven wachten. In dat geval, geloof me, is dat hoe dan ook één ding om dankbaar voor te zijn, want het is martelend om steeds piepjes te horen die er niet zijn en hoopvol op het schermpje te kijken, om meteen de moed in je schoenen te voelen zinken omdat er niks op het schermpje te zien is.

De tijd kroop langzaam voorbij, en de tv hielp niet erg mee. Er was niets dan oude films. Je hebt vast weleens gehoord van *Gejaagd door de wind*, wie weet heb je die wel gezien, en daarom vraag ik me af of je er wel wakker bij kon blijven, omdat het zo'n lange film is; zo lang dat ik wel twee keer naar de wc moest voordat hij was afgelopen. Toen ik onrustig op de bank zat te draaien, fluisterde mijn moeder aldoor dat ik geduldig moest zijn, alsof er op het laatst een beloning voor de moeite zou komen. Ik heb vier uur lang gekeken om die twee op het laatst bij elkaar te zien komen, dus je kunt je wel voorstellen hoe teleurgesteld ik was toen die gozer Rhett net voor de aftiteling wegging bij die Scarlett. Ik keek naar mam, zo van: dit is toch niet het einde? Maar Rhett kwam niet terug en Scarlett rende hem niet achterna, dus het was echt het einde van de film.

Gejaagd door de wind was nog teleurstellender dan *The Great Escape* (niks te ontsnappen), dus rukte ik de afstandsbediening uit mams hand en drukte op het uitknopje.

'Vond je het geen mooie film? Het is een van de grootste liefdesgeschiedenissen ooit,' zei mam.

'Ik vind hem om depri van te worden.'

'Minder depri dan bij *Titanic*,' merkte Soph geeuwend op. 'Rhett vriest tenminste niet dood om daarna naar de zeebodem te zinken.'

De deur zwaaide open en Dot rende naar binnen met Skull in haar armen. Ze ging op haar knieën zitten, en de konijnenoren staken uit boven haar schouder.

'Is dat wind-gedoe afgelopen?'

'*Gejaagd door de wind*,' verbeterde mam haar.

'Ik weet waarom hij zo heet!' Dot lachte zelfvoldaan,

en daaraan kon ik zien dat ze met een grap zou komen.

Mam dacht diep na. 'Ik denk dat het over Rhett gaat, op het eind, alsof hij wordt weggejaagd door de wind,' gebaarde ze.

Dot schudde met een grijns van oor tot haar oor haar hoofd. 'Het is omdat de man een wind laat voordat hij de stad uit wordt gejaagd.'

Die avond lag ik chagrijnig en ellendig onder mijn dekbed. Ik pakte mijn mobieltje van mijn nachtkastje en keek voor de laatste keer of er echt niets was gekomen. Het schermpje gloeide groen en leeg op. In het groenige licht maakte ik schaduwfiguurtjes op de muur. Een hond blafte bij mijn boekenplank terwijl er een kat op af sloop, en ook al kunnen katten en honden meestal niet goed met elkaar opschieten, die in mijn droom krulden zich toch samen op een woordenboek op. Ik bleef een tijdje naar ze kijken voordat ik me omdraaide, en ik verlangde zo hevig naar Aaron dat het pijn deed. Het raam rammelde in de wind, en Stuart, ik had echt het gevoel dat hij was weggewaaid.

Liefs,
Zoe x

Fictiepad 1
Bath

22 januari

Hoi Stuart,

Ik hoorde het daarnet op het nieuws. Een paar dagen
geleden werd het al aangekondigd, maar ik ben pas
vanavond internet op geweest. Meestal zoek ik je dan
op, en vandaag was er een gloednieuw artikel over je in
de *Texas Online Chronicle* waarin stond dat de datum van
je terechtstelling was vastgesteld op 1 mei.

1 mei, Stuart. Niet te geloven. Net op díé dag...

Mijn handen trillen, dus is schrijven best lastig, ook
al heb ik een nieuwe tuinstoel, die pap zeker in de
uitverkoop bij het tuincentrum op de kop heeft getikt.
Ik kan me nauwelijks voorstellen wat er door je heen
gaat. Ik heb uitgerekend dat je op dit moment zo'n
beetje wakker wordt, want Texas loopt zes uur achter op
Engeland, en je kunt vast geen hap van je ontbijt door je
keel krijgen. Ik hoef natuurlijk niet te zeggen dat ik alles
zal doen om je te helpen. Misschien kan ik contact

opnemen met de non die op school over de doodstraf kwam vertellen, en wie weet kunnen we iets organiseren, bijvoorbeeld een protestmars of een petitie, en maak je geen zorgen: ik weet vrijwel zeker dat we best honderd handtekeningen kunnen krijgen van de nonnen in het klooster.

Het bestuur van Texas mag je niet laten inslapen. Dat kan gewoon niet. Vorige week heb ik nog je gedicht 'Vergeving' gelezen, en vooral: 'Wat heb ik een spijt Van het pakken van een mes dat snijdt Dat mijn vrouw openrijt.' Echt waar, ik vind dat je een tweede kans verdient. Als ik president van de Verenigde Staten was, zou ik nog best gevangenissen hebben, maar dan zouden die de criminelen helpen en ze niet afmaken, alsof er geen hoop meer is. Als je het mij vraagt kun je niet zomaar een mens afschrijven, alsof ze in je ziel hebben gekeken en tot de conclusie zijn gekomen dat die niet veel soeps is en dat er niks goeds in zit wat gered kan worden.

Het minste wat ik kan doen is afmaken waar ik aan ben begonnen. Nu we nog maar weinig tijd hebben, moet ik opschieten. Ik moet voor 1 mei het einde van mijn verhaal hebben bereikt, en ik hoop dat het je een beetje de laatste voorbereidingen doet vergeten, zoals je galgenmaal, dat waarschijnlijk gaat bestaan uit een kaasburger met kronkelfrieten, een milkshake met twee rietjes en uiteraard een zakje ketchup om je aan de goede oude tijd te herinneren. In elk geval, laten we maar beginnen, want het is een race tegen de klok, dus stel je de grote wijzer voor die een heel jaar terugdraait naar de vorige januari, en dan beginnen we met Lauren en ik die op een stoepje voor de school zitten, rillend in onze jassen tijdens de pauze van onze eerste dag na de kerstvakantie.

<u>DEEL X</u>

'En hoe was het feest verder?' vroeg ik.

Lauren vlocht haar vingers in elkaar en blies in het holletje van haar handen. 'Goed. Prima zelfs. Maar Max miste je. Hij liep rond met zó'n gezicht toen je weg was. Hij weigerde zelfs zich door Marie te laten inpakken.'

'Hè?' zei ik.

'Maak je niet druk, hij deed niks. Ze probeerde het alleen maar. Echt hoor, ze was verschrikkelijk. Ze wankelde rond, ze had geen idee van waar ze mee bezig was. Ze heeft op de oprit gekotst, en de volgende morgen zag ik een merel ervan eten.'

'Hoe gebeurde het dan?'

'Nou, hij kwam aangevlogen en ging pikken aan de rand van...'

'Nee,' viel ik haar in de rede. 'Hoe weigerde Max Marie?'

Lauren legde uit dat Marie op hem af was gewankeld en hem wilde zoenen, maar dat hij toen zijn hoofd had weggedraaid, omdat hij waarschijnlijk aan mij dacht.

'Dat, of aan de stank van kots,' besloot Lauren haar verhaal. 'Hoe dan ook, ik denk echt dat hij je graag mag.'

Ik was iets minder depri, iets wat ik na het feest aldoor was geweest. Wat gaf het dat Aaron al die dingen had gezegd? Zijn broer was in me geïnteresseerd, en dat

191

moest ik zo houden, en daarom rende ik aan het eind van de schooldag het Franse lokaal uit en de trap af naar waar de toneellessen werden gegeven, want ik wist dat Max daar het laatste uur zou zijn. Hij kwam net de gang op terwijl hij chips in zijn mond propte. Ik zwaaide om zijn aandacht te trekken, en hij kwam achter me aan de hoek om.

'Gaat het?' vroeg Max.

'Ja, hoor. Ik ben dolgelukkig. Niet omdat school weer is begonnen, maar omdat ik jou weer zie.'

Max veegde grijnzend de kruimeltjes van zijn kin. 'Ik ook. Ik heb je op het feest gemist, Zoe.'

'Sorry dat ik ineens verdween.' Ik haakte mijn vinger in zijn riem. 'Net toen het interessant werd...' Ik speelde met de gesp. 'Jammer dat we nergens een verlaten plekje hadden gevonden...' Ik trok aan het puntje van zijn das, heel roekeloos, en dat was eigenlijk niets voor mij. 'En? Wil je deze week nog iets doen na school? Ik zou bij jou kunnen komen...'

Verwonderd knipperde Max met zijn ogen, en toen zei hij met gesmoorde stem: 'Ja, oké. Als je dat wilt...'

'Dat wil ik. Woensdag?'

'Woensdag doe ik iets met mijn vader. Donderdag?'

Iets wat Lauren in november had gezegd kwam bij me naar boven, over de weg naar de hel en zo, en Stuart, ik stond op het punt die weg te gaan bewandelen. Ik drukte een zoen op zijn wang. 'Prima.'

Donderdagavond zette mam me af bij Lauren omdat ik had gezegd dat we ons project over rivieren moesten afmaken.

'Jullie zijn er al heel lang mee bezig, hè?'

'De Nijl is heel erg lang,' zei ik uit de hoogte, en toen stapte ik uit.

Als ik er nu op terugkijk, is het ongelooflijk dat ik er zo rustig onder bleef toen ik wegging bij Laurens huis nadat mam was weggereden, en ik over het zebrapad overstak en me langs de groene gloed van het Chinese afhaalrestaurant spoedde zonder ook maar mijn capuchon op te doen. Begrijp me niet verkeerd, ik zat vol twijfels toen ik bij Max voor de deur stond. Bij Aaron voor de deur. Maar er was niet voldoende twijfel om me om te draaien en weg te rennen. Aaron had gezegd dat ik met iedereen kon omgaan die ik wilde. Hij had gezegd dat ik veel plezier met zijn broer moest hebben. Dus rechtte ik mijn rug en klopte twee keer op het hout.

Er rinkelden sleutels. Er piepten scharnieren. Ik bevochtigde mijn lippen en plakte een lach op mijn gezicht. Er viel een strook licht op het tuinpad, en ik stond in het midden van de lichtstrook tegenover een blond meisje van een jaar of negen met een tuinbroek aan. Om haar hals hing een fototoestel.

'Wie ben jij?' vroeg ze voor ik iets kon zeggen.

'Zoe. En wie ben jij?'

'Fiona.' Ik lachte naar haar, maar daar lette ze niet op. 'Kom je voor Aaron of voor Max?'

Goede vraag. 'Max. Is hij thuis?'

Het meisje draaide zich om en stormde de trap op, en de voordeur liet ze openstaan. Ik aarzelde toen ik twee paar sportschoenen op de mat zag, maar dwong mezelf toch eroverheen te stappen de warmte van het huis in.

In de keuken stond een tv te schallen, en het rook naar gesmolten kaas en knoflook. Glazen tinkelden en borden bonkten. Iemand was aan het koken.

'Hallo?' riep ik, niet op mijn gemak.

'Jij bent zeker Zoe,' hoorde ik een stem, en om de keukendeur verscheen een mollig gezicht. Met zwart en mahoniebruin haar in een staartje. Sandra lachte en kneep toen haar ogen tot spleetjes. 'Hebben we elkaar niet al eens gezien?'

'Nee,' zei ik snel, hoewel een beetje in paniek, omdat ik besefte dat ze me bij de bibliotheek had gezien. Bij de sneeuwpop. Met Aaron.

'Weet je het zeker? Je ziet er zo bekend uit.'

'Nou, misschien wel even,' merkte ik achteloos op. 'Ik ben hier in september geweest, maar toen hebben we elkaar niet...'

'Dat zal het zijn! Kom verder.' Ik stapte de keuken in. 'Limonade?' vroeg ze, en ze schonk al in voordat ik iets kon zeggen, en vervolgens riep ze heel hard: 'Max!' En toen: 'Ga toch zitten, meid. Hij komt zo wel.'

Ik deed wat me was gezegd. Ik ging slecht op mijn gemak aan een tafel in de hoek zitten en deed of ik erg geïnteresseerd was in het praatprogramma op tv. De presentator had een gezicht als een gekookt worstenvel, gebruind en gerimpeld, en hij zei dat het tijd werd voor de test met de leugendetector.

'Dit gedeelte vind ik het leukst,' mompelde Sandra. 'Pizza oké?'

'Geweldig.'

'Ze staan in de oven. En ik heb ook sla gemaakt.' Ze zwaaide met een plastic zak vol slablaadjes, snipperde een wortel en iets paarsigs dat best een bietje kon zijn. 'Nou ja, de winkel heeft het meeste voor me gedaan. Vanavond eten we *à la supermarché*.' Dat was als grapje bedoeld, dus lachte ik, terwijl Sandra de slablaadjes in een zilverkleurige bak mikte en die op tafel zette. 'Dat is wel genoeg voor ons vijven.'

Ik. Sandra. Max. Fiona. En Aaron.

Gespannen zat ik aan tafel, mijn knieën stijf tegen elkaar aan gedrukt. Het ging gebeuren. Het ging echt gebeuren. En ik ging doorzetten.

'... ongeveer twee tellen geleden zei Max dat je kwam eten, dus dit moet maar voldoende zijn. Maar ja, iedereen houdt van pizza, toch?'
    Ik richtte mijn aandacht weer op het gesprek. 'Ja. Jazeker.'
    'Max!' riep Sandra weer, terwijl ze het bestek pakte. 'Fiona! Aaron! Eten!'

Ergens boven kraakte de vloer. Twee broers kwamen van hun bed af. Twee paar voeten op de grond.

Achter me klonk een geluid. Ik zette me schrap, maar het was Fiona maar. Ze schonk zichzelf sinaasappelsap in en staarde me over de tafel aan.

Voetstappen in de gang. Zwaardere. Van twee paar voeten.

Ik draaide me om, en daar waren ze. Daar was híj, want Stuart, ik had uitsluitend oog voor Aaron, prachtig in een effen T-shirt en een grijze spijkerbroek, met lange, rechte tenen op de vloer. Er zinderde iets tussen ons.

'Zoen haar dan,' zei Fiona giechelend toen Max de keuken in kwam.

'Fiona!' bracht Sandra waarschuwend uit.

Max kneep in mijn schouder en nam toen rechts van me plaats. Links van me was nog een stoel vrij. 'Ik zei nog tegen mam dat we niet wilden eten.'

'Het geeft niet,' zei ik, terwijl Aaron zich van de schrik herstelde.

'Het geeft wel,' mopperde Max. 'Ik schaam me dood.'

Ik raakte even zijn bovenbeen aan en fluisterde: 'Maak je niet druk.'

'O, ze fluisteren,' zei Fiona. Ze haalde een slablaadje uit de bak en stak het in haar mond. 'Tortelduifjes. Zoen-zoen.'

Aaron graaide een glas uit het kastje en zette de kraan te ver open. Het water spatte alle kanten op en maakte zijn T-shirt kletsnat. Max lachte, Aaron depte zichzelf droog met de theedoek. Bijna in slow motion keek hij van de gootsteen naar de tafel, en van de stoel naast de mijne naar die naast zijn zusje. Terwijl hij over zijn neus wreef liep hij helemaal om de tafel heen naar die naast Fiona.

Sandra zette de pizza's naast de slabak. De damp verborg de glans van de zilverkleurige bak. Fiona tekende een hartje op de beslagen bak en keek me stralend aan.

'Pepperoni. Ham en ananas. Margherita. Een halve pizza voor ieder,' zei Sandra.

'Ikke!' riep Fiona uit, en ze pakte een stuk van die

met kaas en tomaat. Max nam de helft van die met pepperoni. Sandra koos voor de ham en ananas. Ik boog me naar voren en Aaron boog zich naar voren. We staken allebei onze hand uit naar de Margherita, en het stuk pizza bleef tussen ons in hangen.

'Neem jij maar,' zei hij, en hij liet de korst los.

'Delen?'

Voor de eerste keer die avond keek Aaron me aan. 'Nee.'

Tijdens het eten zat Fiona met haar fototoestel te spelen; ze draaide het schermpje naar Sandra.

'Deze heb ik gisteren gemaakt. Hier is een foto van het gras, die heb ik voor school genomen. Kijk dan!' zei ze, omdat Sandra naar het praatprogramma keek. 'De waterdruppels glinsteren door de zon.'

'Mooi,' zei Sandra. 'Kerstcadeautje,' zei ze tegen mij. 'Ze is een fotograaf in de dop.'

'PIZZA!' riep Fiona plotseling uit, en ze hield de camera voor mijn gezicht. Voordat ik kon poseren ging de flits al. 'Wat een stomme foto,' zei ze giechelend, en ze drukte op een knopje en liet Aaron de foto zien.

'Heel stom,' was hij het met haar eens.

'Geef haar dan de kans om te lachen,' zei Max terwijl hij een hap van de pizza met pepperoni nam. 'Neem er nog eentje.' Hij sloeg zijn arm om me heen en grijnsde in de lens. Ik had geen andere keus dan om ook te grijnzen, mijn handen in elkaar geklemd en mijn lippen stijf, terwijl Aaron wegkeek.

Er viel een stilte en iedereen ging weer eten. Alleen het geluid van happen in knapperige korsten en gesmolten

197

kaas was te horen. Het was een opluchting toen de presentator van het praatprogramma de eerste gast ten tonele voerde die niet geslaagd was tijdens de test met de leugendetector. Het publiek sprong op en jouwde hem uit.

'Waarom doen ze dat?' vroeg Fiona.

'Omdat hij een liegbeest is,' legde Sandra uit terwijl ze gebiologeerd naar de tv keek. 'Net als alle verdomde mannen.'

'Waar heeft hij dan in gelogen?'

'Over,' verbeterde Aaron haar. 'Of tegen. Tegen iemand.'

Ik slikte mijn laatste hap pizza met moeite door.

'Tegen wie heeft hij dan gelogen?' vroeg Fiona, en met haar vinger ging ze over haar bord om de kruimeltjes te vangen.

'Tegen zijn vriendin,' antwoordde Aaron.

'Wat deed hij dan?' vroeg ze.

Aaron legde zijn mes en vork neer, en Stuart, ze wezen allebei naar mij. 'Hij heeft met een ander gezoend.'

'Hij zal eerder met haar hebben liggen neuken,' zei Max.

Fiona giechelde. 'Neuken,' zei ze Max na.

'Dank je wel, Max.' Sandra zuchtte. 'Ze is nog maar negen.'

Plotseling stond Aaron op. Hij pakte zijn bord, het bord van Fiona en dat van Sandra en bracht ze naar de vaatwasser. Sandra schonk zichzelf een groot glas wijn in.

'Iemand een toetje? Kopje thee?'

Max wreef over zijn buik en zei dat hij genoeg had. 'Zoe en ik gaan naar boven.'

'Om te neu..' begon Fiona.

'Zo is het wel genoeg,' snauwde Sandra.

'Dank je wel voor het eten, mam,' zei Aaron, en zonder om te kijken liep hij de keuken uit.

'Graag gedaan, jong,' riep Sandra hem na. 'Succes met leren. Morgen moet hij examen doen,' vertelde Sandra me. 'Geschiedenis. Hij is een slimme jongen.'

'Ja,' zei Max met iets van trots en jaloezie. 'Hij heeft de hersens, en ik heb..'

'Toe!' zei Sandra geërgerd. 'Ik zit erbij, hoor!'

'Ik wou zeggen: het hart,' grapte Max, en hij sloeg zijn hand voor zijn borst.

Sandra snoof en zette het geluid van de tv harder toen wij de gang in gingen.

In Max' kamer konden we niet veel doen met zijn moeder thuis, dus zaten we niet echt op ons gemak te kletsen op zijn bed. Na de derde langdurige stilte keek ik om me heen, wanhopig op zoek naar het volgende gespreksonderwerp.

'Is dat je vader?' vroeg ik toen mijn blik op een grote ingelijste foto aan de muur was gevallen. Het was een foto van een man met een snor met een jongetje op zijn schoot. 'Je ziet er schattig uit.'

'Heb je wel gezien wat ik aanheb?'

Ik moest giechelen om het kleine gele broekje. 'Hoe oud was je toen?'

Max stond op om naar de foto te kijken. 'Kweenie. Een jaar of zeven, denk ik.'

'Mis je hem?'

'Neu,' zei Max, iets te hard.

'Hij ziet er best aardig uit. Afgezien van die snor.'

'Die is er nu af. Kennelijk houdt zijn nieuwe vriendin niet van snorren.'

'Mag ik je iets vragen?' vroeg ik plotsklaps.

'Als je dat wilt.'

'Was het heel erg rot toen ze gingen scheiden?' Max vertrok zijn gezicht; daarom zei ik er zacht achteraan: 'Je hoeft geen antwoord te geven. Sorry. Alleen, mijn ouders maken aldoor ruzie en soms denk ik, weet je, dat ze misschien... Maar nou ja. Dat gaan ze vast niet doen.'

Max stak zijn voet uit, haalde zo een bal onder zijn bureau vandaan en dribbelde daarmee rond zonder me aan te kijken.

'Daar ben je goed in.'

'Niet goed genoeg,' mompelde hij, en hij schopte de bal met een knal tegen de kast.

'Kom nou toch! Je bent de beste van de hele school, dat weet je best.'

'Jawel, maar hoeveel scholen zijn er in het land?' vroeg hij terwijl hij de bal handig van voet naar voet bracht.

'Geen idee.'

'Raad eens?'

'Twintigduizend? Dertigduizend?'

'Laten we zeggen vijfentwintigduizend. Dat wil zeggen dat er vijfentwintigduizend jongens zoals ik zijn. De beste van de school.' Hij trapte de bal naar mij, en verrassend genoeg kon ik die zomaar terugtrappen. 'Vijfentwintigduizend. En hoeveel daarvan lukt het om beroeps te worden?'

'Geen flauw idee,' mompelde ik. 'Maar ik snap waar je heen wilt. Je maakt weinig kans.'

'In tegenstelling tot mijn broer, die goed is in alles, kan ik alleen maar voetballen, maar niet goed genoeg om ervan te leven.'

'Dat is niet fijn.'

'Inderdaad.' Hij passte de bal weer naar mij, maar deze keer miste ik hem, dus rolde hij onder het bed. Ik bukte me om hem te pakken, maar toen zag ik ineens iets in het donker. 'Is dat...'

'Nee!'

'Jawel!' riep ik uit, en ik wees naar de halfafgemaakte legpuzzel onder zijn bed. Eentje van zeker vijfhonderd stukjes, op een dienblad. Het stuk dat al af was, toonde een voetbalstadion met duizenden toeschouwers.

'Haal hem niet tevoorschijn!' zei hij met een kreun, maar ik had hem al op zijn bed gezet.

'Geweldig!'

Onzeker keek hij me aan. 'Ja?'

'Geweldig en briljant.'

'Het is gewoon maar een legpuzzel,' mompelde hij, maar hij leek wel blij.

'O nee.' Ik schudde mijn hoofd. 'Dit is niet zomaar een legpuzzel. Het is een bewijs.'

'Een bewijs van wat?'

Ik zette mijn wimpers aan het werk. 'Dat de Machtige Max Morgan een stiekeme geek is.'

'Dat zou ik niet willen zeggen,' zei hij, maar glimlachend zetten we de legpuzzel tussen ons in en gingen ermee aan de slag.

Het was leuk. En moeilijk. Er moest een hoop veld worden gelegd, en alle stukjes waren van precies dezelfde kleur groen. Na een uur hadden we het gedeelte bij de cornervlag gelegd en daar keken we tevreden naar voordat we naar de woonkamer gingen. Sandra lag op de bank met open mond te slapen.

'Zeker even ingedut,' zei ze slaperig nadat Max haar wakker had geschud.

'Bedankt voor het eten,' zei ik terwijl ik mijn jas aantrok. 'Het was een lekkere pizza.'

'Graag gedaan, hoor.' Ze glimlachte slaperig. 'Hoe wil je naar huis gaan?'

'Gewoon, lopen.'

Sandra bewoog het gordijn met haar voet. 'Dat kan niet, schat. Het is buiten pikkedonker. En ijskoud.'

'O, dat is niet erg. Ik kom er wel,' zei ik terwijl ik naar de voordeur ging. 'Maar nu moet ik echt gaan. Ik moet van mijn moeder voor tienen terug zijn.'

Sandra haalde haar vingers door haar haren. 'Het spijt me echt... Ik zou je wel even naar huis hebben gebracht, maar ik heb te veel wijn op.'

'Aaron?' stelde Max voor.

Mijn maag draaide zich om. Nerveus, schuldig. Vol hoop. Sandra was al van de bank gekomen en liep haastig de kamer uit.

Stuart, je snapt vast wel hoe gespannen de sfeer was toen ik buiten gedag zei tegen Max, terwijl Aaron in DOR1s stapte. Ook al hadden Max en ik het leuk gehad, toch deed ik mijn best om weg te komen zonder dat Max me zoende, maar Max boog zich naar me toe net toen de koplampen aanfloepten. In het felle licht legde hij zijn hand op mijn kin en bracht zijn lippen naar de mijne, en ik stelde me voor hoe het er voor

202

Aaron moest uitzien en deed mijn best blij te zijn met mijn wraak, maar het leek eerder op een holle overwinning.

Max ging weer naar binnen. Alleen Aaron en ik waren buiten. Aaron en ik. Ik beet op mijn wang en stapte in.
'Sorry.'
Aaron reageerde niet. Hij keek strak voor zich uit en startte de motor zodra ik zat.
'Ik stel dit echt op prijs.'
Hij zette de auto in zijn achteruit en reed de oprit af.
'Het is hier ijskoud,' probeerde ik het nog eens.
Aaron zette de radio aan.

Zwijgend reden we verder. Over de kruising met het zebrapad. Langs de kerk en het Chinese afhaalrestaurant. De smaragdgroene draak vloog voorbij. Aaron had het stuur heel stevig vast, zijn rug was kaarsrecht en hij hield zijn armen recht. Ik zette de radio zachter en probeerde nogmaals een gesprek te beginnen.
'Hoe ging het leren?'
Aaron zette de radio veel te hard. Er kwam een snerpende pieptoon uit de luidsprekers, net op het moment dat de zanger LOVE brulde, en dat klonk groot, pijnlijk en eng.

We moesten stoppen voor een verkeerslicht. Aaron trapte veel te hard op de rem. Miss Scarlett kwam met een klap tegen de voorruit aan en draaide daarna rondjes aan de achteruitkijkspiegel. Ik tikte tegen haar om haar te laten schommelen.

'Niet aankomen!'

Ik raakte haar weer aan. Tik. Aaron zette hoofdschuddend de radio uit. LO...

'Wat ben je toch nog een kind,' zei hij. 'Voor jou is alles een spelletje, hè?'

Ik sloeg mijn armen over elkaar. 'Het is gewoon een stom Cluedo-poppetje.'

'Dat bedoel ik niet,' grauwde Aaron, en met een woeste blik in zijn ogen keek hij naar de weg. 'Dat bedoel ik niet, dat weet je heel goed. Waar denk je dat je mee bezig bent? Zomaar in mijn keuken staan? In mijn huis?'

'Het huis van je broer,' verbeterde ik hem. 'Van je bróér.' Het stoplicht sprong op groen. Aaron gaf gas en de auto schoot vooruit.

'Dus zo wil je het spelen, hè?' zei hij, veel te hard.

'Zeg jij het maar,' snauwde ik, en ik hield me vast aan het dashboard toen we de hoek om scheurden. 'Jij zei dat we zo'n goed stel waren. Jij zei dat ik plezier moest hebben. Dus dat doe ik nu. Plezier hebben.'

'Fijn!' tierde hij.

'Ja, het is zeker fijn,' zei ik, vals en triomfantelijk herhalend wat Aaron tijdens het feest had gezegd. Mijn handen trilden, mijn keel zat dicht, en ik wees op mezelf. 'Ik doe niks verkeerds, Aaron. Het staat me vrij om om te gaan met wie ik maar wil. Dat heb je zelf gezegd.'

De tranen brandden in mijn ogen. Gauw wiste ik ze af en keek kwaad naar het Fictiepad.

Het Fictiepad.

Mijn moeder kwam het huis uit om naar Lauren te gaan. Aaron reed langzamer, omdat hij niet goed wist bij welk huis hij moest zijn. Elk moment kon mam deze kant op kijken en mij zien in de...

'Doorrijden!' gilde ik, en ik dook weg toen mam haar blik op onze auto liet rusten. 'Toe, gassen!'

Aaron aarzelde. Hij beet op zijn lip. En toen gaf hij gas en raasden we mijn huis voorbij.

'Wat is er ineens?'

'Ik had moeten zeggen dat je me bij Lauren moest afzetten! Dat was mijn moeder; ze denkt dat ik bij mijn vriendin Lauren ben.'

Ik ratelde wat af terwijl ik hem richtingaanwijzingen gaf, via achterafstraatjes, zodat we er hopelijk eerder zouden zijn dan mijn moeder. Ik dwong de auto met mijn buikspieren vooruit te komen, alsof de auto een paard was en ik een jockey in de belangrijkste race van mijn leven. We sloegen rechts af. Met piepende banden linksaf. We sjeesden over een recht stuk.

Aaron snoof. 'Je zou eens moeten ophouden met liegen, weet je. Dat is een slechte gewoonte.'

Vol ongeloof keek ik hem aan. 'Wil je daar op dit moment op doorgaan?'

'Ik zeg het maar even. Je zou moeten ophouden met liegen. Het is...'

'Het is wat?'

Hij haalde diep adem, zweeg kort en zei toen heel duidelijk: 'Onvolwassen.'

Ik forceerde een lachje. 'Onvolwassen? Wie heeft Miss Scarlett aan de spiegel hangen? Wie heeft het over geesten, alligators en zwarte gaten vol slangen? Wie heeft er geen plannen voor de toekomst en...'

'Verander niet van onderwerp,' snauwde Aaron.
'Je hebt tegen je moeder gelogen, dat is heel verkeerd, en nu is het afgelopen.'

'Wie zegt dat het nu is afgelopen? Dat zeg jij! Alleen maar omdat je ouder bent? Kom op zeg, Aaron. Je hebt geen enkel recht mij te vertellen wat ik wel of niet kan doen. Wat ik mijn moeder vertel, heeft niks met jou te maken. Echt niks.'

Aaron trok zijn schouders op. 'Misschien niet. Maar wat je míj vertelt, is nogal belangrijk, en je hebt recht in mijn gezicht gelogen.'

Een verkeerslicht sprong op rood toen we het naderden. Ik vloekte zacht en keek op mijn mobieltje hoe laat het was. 9.55.

'Je hebt me verteld dat je grootvader dood was.'

Rood.
Rood.
Rood.
Groen.

'RIJDEN!' riep ik, en daar gingen we weer. 9.56.

'Maar op die dag ging je niet langs bij zijn graf,' vervolgde Aaron koppig.

'Nee, maar...'

'Je was bij mij thuis geweest. Bij mij thuis!' Hij was aan het schreeuwen, het deed pijn aan mijn oren. 'Bij mijn broer!'

'Weet ik, maar..'

'Op zijn kamer. En jij had het lef om bij me in te stappen en net te doen of je...

'Hou op!' brulde ik, en ik sloeg met mijn vuist op mijn been. 'Hou op!'

9.59.

Aaron reed Laurens straat in. Ik zat voorovergebogen te spieden of ik mams auto ergens zag. De kust was veilig. Ik deed het portier open en wilde uitstappen.

'Graag gedaan,' zei Aaron spottend.

'O, word toch eens volwassen,' snauwde ik, en ik stapte uit. De lucht voelde ijskoud tegen mijn wangen. 'Dank je wel voor het brengen. Het was geweldig.'

'Ik snap niet hoe je het kón, Zoe!' riep Aaron, en zijn ogen schitterden in het duister. 'Ik snap niet hoe je zo vals kon zijn!'

'Je hebt het me nooit laten uitleggen.'

Ik sloeg het portier dicht net toen het tien uur was. Aaron liet de motor brullen en reed toen met hoge snelheid weg, terwijl ik op hem stond te schelden met de ergste scheldwoorden die ik kende. De wind blies, ik trilde en onder mijn blozende huid kookte mijn bloed.

'Was het leuk?' vroeg mam een paar minuten later toen ik was ingestapt en mijn woede verborg. Het leugentje bleef in mijn keel steken, maar ik dacht aan Aaron en loog opstandig.

'Niet verkeerd. Voor een aardrijkskundeproject.'

Ik zou je willen vertellen wat er daarna gebeurde, maar ik moet het hierbij laten omdat ik mijn ogen nauwelijks open kan houden. De laatste paar nachten word ik geplaagd door nachtmerries. Steeds weer word ik wakker, badend in het zweet, terwijl de regen neerklettert en de rook kolkt en de hand keer op keer verdwijnt. Ik wil het er nu nog niet over hebben, maar dat komt nog. Binnenkort. Beloofd.

Er is nog tijd voordat het 1 mei is, als het ergste moet gebeuren en de non het niet tegen kan houden. Er moet iets zijn wat we kunnen doen, dus geef de moed nog niet op, en ga niet denken dat je deze straf hebt verdiend omdat je een fout hebt begaan. Zoals je ziet maak ik ook fouten. Je bent niet de enige, Stu, dus lig daar niet op je dunne matrasje terwijl je denkt dat iedereen vindt dat je door en door slecht bent, want in Engeland is een meisje dat weet dat er ook iets goeds in je zit.

Liefs,
Zoe xx

Fictiepad 1
Bath

13 februari

Hé daar, Stu,

De spin is er al een paar weken niet meer, maar bij
de deur zijn wel een paar nieuwe spinnenwebben.
Misschien heeft ze zich verstopt in de schaduw en kijkt
ze naar me terwijl ik schrijf en kopieert ze mijn woorden, mijn geheimen, in zilverkleurige draadjes tegen
het plafond. Of misschien komt die gedachte voort uit
beginnende paranoia, en dat zou niet verbazend zijn na
wat er vandaag na school gebeurde.

Ik was nagebleven om met mijn vroegere godsdienst-
leraar te praten, en het zal je plezier doen te weten dat
ik het over die non wilde hebben.
　'Waarom wil je haar schrijven?' vroeg meneer Andrews
terwijl hij iets over Jezus in het paars op het whiteboard
kladderde, ter voorbereiding op de eerste les van de
volgende dag.
　'Omdat...' begon ik, en ik probeerde de moed te ver-
zamelen om de leugen die ik had bedacht te vertellen.

'Omdat?' vroeg meneer Andrews spottend terwijl hij een poppetje aan het kruis tekende.

'Omdat ik de Heer heb gevonden.'

'Waar?' Hij tekende een tekstballonnetje dat uit Jezus' mond kwam en scheef daar in blokletters in: AAARRRGH. Ja, AAARRRGH, inderdaad. Op die vraag was ik niet voorbereid.

'In mijn... pennendoos.'

'Wilde hij je vlakgum lenen?'

'Nee. Toen ik bij wiskunde mijn pennendoos open- deed, werd er licht van het deksel weerkaatst en dat vormde een kruis op de tafel.'

'Ontroerend,' zei meneer Andrews. 'Waarlijk heel ont- roerend.' Hij gooide zijn markeerstift op zijn bureau. 'Ze komt uit een klooster in Edinburgh. En ze heet Janet.'

Janet zal binnenkort een brief krijgen, Stu, maak je daar maar geen zorgen over. Toen ik de school uit liep en de zon fijn op mijn gezicht scheen, voelde ik me voor het eerst in maanden positief gestemd. Ik rende helemaal naar huis om aan mijn campagne te beginnen; ik ben van plan je gedichten uit te printen en naar de non te sturen, en om een lijst te maken van al je goede kwaliteiten, zodat het duidelijk is wat je bent:

- een goede luisteraar
- vol begrip
- creatief
- net als Harry Potter, omdat...

En toen zag ik het ineens.

DOR1S.

Er stond een auto voor mijn huis.

Ik werd terwijl ik op de stoep liep door twee bruine ogen gevolgd.

'Hoi!' riep ik van de overkant van de straat.
    'Waar was je nou? Ik heb op je gewacht.'
    Op mij gewacht? 'De godsdienstleraar... Ik heb na school met hem gepraat. Waarom rij je... Ik bedoel, waarom zit je in zijn auto?'
    'De mijne krijgt een beurt,' legde Sandra uit. 'Deze staat al maanden in de garage.'

Ik kon mijn ogen er niet van afhouden. De verweerde blauwe portieren. Het gebutste dak. De drie wielen.

'Is alles verder goed?' vroeg ik terwijl Sandra me dichterbij wenkte. Ik zag mezelf weerspiegeld in de raampjes. Bleek. Op mijn hoede. Magerder dan ik had beseft.
    Opeens lachte Sandra, en dat zag er merkwaardig uit. Te intens. 'Ik heb goed nieuws.' Ze maakte de gordel los, en onbewust deinsde ik achteruit toen ze uitstapte.
'Er komt een herdenkingsdienst.'
    'Een wat?'
    'Ik heb het vanmiddag bedacht, en ik ben meteen hiernaartoe gereden om het je te vertellen. Het is dan precies een jaar geleden, dat wil ik gedenken door iets voor hem te doen.' Ze legde haar knokige hand op mijn schouder omdat ze mijn geschrokken reactie verkeerd

begreep. 'Maak je geen zorgen, jij hebt er ook een plaats in. Een voorlezing of zoiets.'

'Nee!' zei ik, en Sandra knipperde met haar ogen, al verdween de lach niet van haar gezicht. 'Ik weet niet of ik dat wel kan. Niet waar iedereen bij is.'

Ze kneep in mijn schouder. 'Ik snap dat het moeilijk zal zijn, maar we moeten iets doen om de herinnering aan hem levend te houden,' zei ze, en Stu, ik moest bijna hardop lachen. Alsof die ooit zou verbleken. Alsof het zo gemakkelijk was. Ze haalde haar tas uit de auto en trok daar een blocnote uit. 'Ik heb al een paar ideetjes,' zei ze terwijl ze de blaadjes vol met haar slordige handschrift omsloeg. 'Heb je tijd om er een paar van te horen?'

'Fluitles,' flapte ik eruit. Dat had ik zomaar ineens bedacht.

'O. Oké. Nou, laat dan maar.' Ze sloeg de blaadjes terug. 'Misschien een andere keer.'

'Prima,' zei ik, en ik maakte me zo gauw mogelijk uit de voeten. 'Tot dan.'

Voordat ik een voet op de oprit voor ons huis had gezet, riep ze: 'Wanneer precies?'

Even bleef ik staan. 'Wanneer je maar wilt,' zei ik zonder me om te draaien.

'Zal ik je bellen? Dan kun je bij mij komen. Misschien in het weekend. En dan plannen we het samen.'

Ik sloot mijn ogen om mijn groeiende woede te onderdrukken. 'Ik heb het druk in het weekend.'

'Het hele weekend?'

'Nee, maar...'

'Ik bel je,' zei ze, en ik draaide me om en zag haar instappen, waarbij ze Miss Scarlett een zwieperd met haar schouder gaf. Het rode poppetje zwaaide heen en weer, en ik miste Aaron zo hevig dat het lichamelijk pijn deed, alsof ik door mijn hele lijf heen kiespijn had, en Stu, een jaar geleden voelde ik me precies zo; ik hunkerde naar hem na die ruzie toen hij maar niet belde.

DEEL XI

Nu Aaron niet meer meespeelde, was er geen echte reden om niet meer om te gaan met zijn broer. Bovendien ging het beter na het avondje puzzelen, dus werden we een stelletje dat vaak dingen samen deed, ook al was het een merkwaardig stel, zoals een boterham met pindakaas en jam, maar misschien ben jij daar juist dol op. Uiteraard kwam ik niet bij hem over de vloer, en wanneer ik een smoes voor mijn moeder kon verzinnen, hingen we rond in de stad, bijna altijd bij de rivier, omdat het daar stil was, en er stond een bankje onder de bomen zodat we niet nat werden als het regende.

Opa ging van het ziekenhuis naar een verpleeghuis, en pap hielp hem daar te wennen en ging zo vaak mogelijk bij hem langs. Op Valentijnsdag kwam hij beneden met een kaart die hij op het strijkgoed legde waar mam in de keuken mee bezig was, terwijl ik ontbeet voordat ik naar school moest. Mam negeerde de kaart; ze keek alleen naar pap, die een tas op de grond zette en brood in de broodrooster deed, terwijl het strijkijzer op Dots broek stoom afblies.

'Ga je er weer naartoe?' vroeg ze met een zucht.

'Ik neem foto's voor hem mee. Dat werkt. Echt waar.

Hij gaat ook beter praten. De vorige keer zei hij het Onzevader bijna zonder fouten op. De verzorgsters zijn top. Echt indrukwekkend. We werken er samen aan om hem...'

'Jammer dat ze je niet betalen...'

'Ik ben ook op zoek naar een baan,' reageerde pap terwijl hij in de broodrooster tuurde.

'Nou, hier vind je er geen.' Ze vouwde de spijkerbroek, pakte de valentijnskaart van de stapel strijkgoed en scheurde de envelop open. Even verscheen er een zachte uitdrukking op haar gezicht. 'Dank je wel, Simon.' Pap keek vergenoegd terwijl hij boter op zijn geroosterde boterham smeerde.

Stu, ik weet zeker dat in Amerika Valentijnsdag wordt gevierd, waarschijnlijk zelfs uitgebreider dan hier, want ik heb op tv gezien dat ze bij jullie helemaal dol zijn op feestdagen. Ooit was er een documentaire over Halloween, en een oude kerel uit Californië maakte zijn hele gezicht zwart. Iemand vroeg of hij Barack Obama moest voorstellen, en toen zei de man dat hij O.J. Simpson was. Ik zag de grap niet, maar iedereen moest lachen om de pompoentaart, dus ik denk dat 14 februari ook erg lollig is. Ik denk ook dat je vroeger heel veel voor Alice hebt gedaan voordat ze je vertelde dat ze het met je broer deed, dus bijvoorbeeld kaarsen en bloemblaadjes die ze moest volgen naar een mooi gedekte tafel voor een etentje op het balkon, of misschien maakte je een spoor van ketchupzakjes en volgde je vrouw dat naar een cheeseburger met kronkelfriet en één milkshake met twee rietjes.

Ik hield niet van Max, maar ik kon niet anders dan hem een kaart sturen, dus kocht ik er eentje met een ijsbeer in bikini erop en die gaf ik hem in de grote pauze. Erin stond: IK WORD HELEMAAL WARM VAN JE, en daar had ik bij geschreven: DE OPWARMING VAN DE AARDE IS ER NIETS BIJ. Max keek er niet-begrijpend naar, maar ik wist dat Aaron erom zou hebben moeten lachen, en dus kreeg ik buikpijn terwijl ik mijn blad neerzette en ging zitten. Met een strenge stem in mijn hoofd gaf ik me-zelf op mijn kop terwijl ik fanatieker dan anders op de kip kauwde, en ik wilde om Max' grappen lachen, maar die vertelde hij niet, en om heel eerlijk te zijn zag hij er niet blij uit terwijl hij met zijn frieten speelde.

Na school hadden we een heel uur samen omdat mam met Dot naar spraakles was, dus gingen we naar de rivier. Er vlogen vinken van tak naar tak terwijl we naar ons gebruikelijke bankje liepen. Max raapte een steen op en ging iets in het hout krassen, en een reiger kwam uit de lucht glijden en streek neer aan mijn voeten.

'Kijk!' riep ik uit, en ik wees naar de grote vogel, die zijn snavel in het water stak. Max keek er nauwelijks naar. 'Gaat het?' vroeg ik, want ik had mijn buik vol van zijn humeurige stemming. 'Je bent de hele dag al niet te pruimen.'

'Niks aan de hand.'

'Daar zie je er anders niet naar uit.'

Hij hield op met krassen. 'Het is woensdag.'

'Nou en?'

'Op woensdag zie ik mijn vader. Normaal gesproken. Maar... nou ja.' Max nam het bankje verder onderhanden. 'Hij gaat met zijn vriendin eten. Niet dat het mij iets kan schelen,' zei hij snel. 'Mij maakt het niet uit.'

'Natuurlijk maakt het je wel wat uit,' zei ik zacht. 'Dat mag best.'

Hij knikte nauwelijks waarneembaar; ik dacht zelfs even dat ik het me maar had verbeeld. Toen stond hij gauw op. De reiger vloog weg met veel geklapwiek. Max liet de steen vallen en wees naar het bankje.

MM + ZJ

14 FEB

'Fijne Valentijnsdag, vriendinnetje,' mompelde hij. 'Als je dat wilt zijn, dan.'

Hij zag er zo slecht op zijn gemak uit, zo zenuwachtig, dat ik zijn hand pakte en zei: 'Ja.'

Zelfs terwijl ik het zei, voelde het verkeerd, en Soph voelde dat ook aan toen ze op haar bed lag met haar hoofd erbuiten bungelend en ze me ondersteboven aankeek terwijl haar wangen dieprood werden van het bloed.

'Dus je bent geen Of Zoiets meer?' vroeg ze nadat ik was thuisgekomen.

'Nee.'

'Je klinkt niet erg blij.'

'Dat ben ik wel,' loog ik. 'Tuurlijk ben ik blij. Het is immers Max. Iedereen zou wel zijn vriendinnetje willen zijn.'

'Ga je het mam vertellen?'

Ik ging naast haar liggen en liet mijn hoofd ook over de rand hangen, zodat mijn haar de grond raakte. 'Ik wil liever nog niet dood.'

216

'Het kan haar waarschijnlijk toch niet schelen,' zei Soph. 'Ze heeft het veel te druk met zich zorgen maken over Dot.'

'Of over pap,' zei ik, want hij was nog niet terug van opa, en mam was razend. Een of ander bureau had een boodschap op zijn mobiel achtergelaten dat ze een tijdelijke baan voor hem hadden, maar pap wist dat niet doordat hij zijn mobiel niet had meegenomen. Beneden hoorde ik mam heen en weer lopen, en af en toe hield ze even op om ongetwijfeld de gordijnen een beetje open te schuiven en naar de oprit te kijken. 'Kreeg hij maar werk. Of werd opa maar beter.'

'Of ging hij maar dood.'

'Soph!'

'Grapje!' zei ze, en ze liet zich van het bed glijden en op het kleed, waar ze haar hoofd vasthield en met haar ogen knipperde totdat het bloed uit haar hoofd was getrokken. 'Het zou wel fijn zijn als we geld kregen uit zijn erfenis.'

'Wat zou je er dan mee doen? Stel dat het duizend pond was?'

Ze ging op haar rug liggen, met armen en benen gespreid. 'Ergens gaan wonen met een zwembad, in een nieuw huis met een groot hok voor honderden konijnen, en met een nieuwe school om de hoek.'

'Hoe is het met je?' vroeg ik, en ik voelde me schuldig omdat ik zo was opgegaan in het gedoe met Aaron en Max dat ik eigenlijk niet meer echt met Soph had gepraat. 'Al een beetje beter?' Soph aarzelde, ze friemelde met de stemmingsring om haar vinger. 'Doen ze het nog?'

'Een beetje.'

'Hoe bedoel je: "een beetje"?'

'Het ging een poosje oké, maar nu schelden ze me heel erg uit.'

Met moeite wist ik me op bed om te draaien. 'Zoals wat?'

'Zeg ik niet.' Ze pulkte pluisjes van het kleed en wilde me niet aankijken. 'Maar vorige week heeft een meisje dat Portia heet me geslagen.'

'Heeft ze je geslagen? Waar?'

'Niet heel hard,' zei Soph gauw. 'Niet hard genoeg voor een blauwe plek of zo, maar het deed wel pijn.'

'We moeten het mam vertellen. Echt hoor, Soph.'

Ze knikte langzaam. Ik bleef nog heel lang bij haar; ik zette de tv aan toen ze in bed klom, zodat ze de onvermijdelijke ruzie niet kon horen toen pap thuiskwam – niet dat mijn plannetje werkte, want het was zo'n allemachtig harde ruzie, Stu, dat je het waarschijnlijk in Texas nog hebt gehoord.

'Ik had hem vergeten, oké? Het was een vergissing!'

'Waarschijnlijk heb je je mobiel hier expres laten liggen, zodat je niet hoefde...'

'Ik wil wel degelijk een baan! Waarom anders denk je dat ik al die honderden sollicitatieformulieren heb zitten invullen?'

'Nou overdrijf je,' snauwde mam, terwijl ik op de trap zat te luisteren. 'Honderden? Kom op, zeg!'

'Nou, ik heb er honderd procent meer ingevuld dan jij!'

'Ik hou de boel hier draaiende!' wierp mam tegen. 'Als ik er niet was, dan...'

'Als jij er niet was, konden wij allemaal opgelucht ademhalen! Jij wilt altijd dat alles gaat zoals jij het wilt,

Jane. En ik zal je nog iets vertellen: mij zit het tot hier!
Ik heb er schoon genoeg van.'

Ik stelde me mam en pap voor die elkaar ieder aan een andere kant van de kamer woedend aankeken.

'Heb je het over je vader?'

'Gedeeltelijk,' gaf pap toe, en het klonk totaal niet ver- ontschuldigend. 'Je kunt niet verhinderen dat de kinde- ren mijn vader zien, Jane. Dat is niet eerlijk.'

'Het is niet goed dat ze hem zien!' tierde mam. 'En daarom vertrouw ik niet op je oordeel, Simon. Je kunt toch niet van me verwachten dat ik de kinderen naar een verpleeghuis laat gaan om te praten met een gestoor...'

'Zo praat je niet over mijn vader,' zei pap waarschu- wend, en in gedachten zag ik hem een trillende vinger opsteken. 'Als je durft...'

'Dat durf ik best!' gilde mam. 'Ik kan best een mening hebben. Je geeft ons geld uit door elke dag kilometers naar die man toe te rijden, terwijl je ook iets nuttigs zou kunnen doen.'

'Dat geld heb ik zelf verdiend!'

'Maar nu verdien je niets meer,' wees mam hem te- recht. 'We kunnen het ons niet veroorloven dat geld uit te geven, omdat het jou verdomme maar niet lukt een baan te krijgen!'

'Ik neem geen advies over werk aan van iemand die zelf weigert te gaan werken.'

'Dít is mijn werk, hier in huis!' riep mam uit. 'Met de meiden. Iemand moet voor ze zorgen en voorkomen dat jij iets gevaarlijks doet, zoals...'

'Mijn kinderen hun opa laten bezoeken is niet gevaar- lijk!'

'Het is belachelijk!'

'Jíj bent belachelijk! Ik zou ze nooit gevaar laten lopen. Jij laat ze niet opgroeien. Zelfstandig worden. Je stelt ze niet bloot aan de wereld.'

'Ik ben anders degene die gehoorsimplantaten voor Dot wil, zodat ze verdomme de hele wereld kan horen.'

'Ze is gelukkig zoals ze is!' zei pap. 'Echt gelukkig!'

'Ze heeft er grote moeite mee, Simon. Dat zei de spraaktherapeut vandaag tegen me. Ze gaat niet snel genoeg vooruit met liplezen...'

'Ze kan gebaren en ze doet het met hulp van de assistenten goed op school. Het is niet nodig haar weer naar het ziekenhuis te laten gaan, om haar leventje te verstoren.'

'Maar daarna kan ze wel horen,' zei mam met een bibberstem. 'Muziek. De tv. Mij.'

'Ze kan dan een hoop elektronische ruis en gepiep horen dat niets met de echte wereld te maken heeft. Bovendien werkt het misschien niet. Je hebt gezien wat er de vorige keer gebeurde! Nee,' zei pap streng. 'Het is het risico niet waard. Je bent egoïstisch!'

'Egoïstisch? Ik doe dit voor onze dochter!'

'Je doet het voor jezelf!' snauwde pap. 'Dat weten we allebei heel goed.'

'Wat bedoel je daar nou weer mee?'

'Dat weet je best,' bulderde pap. 'Jij wilt dat Dot kan horen omdat het jouw schuld is dat ze...'

'opzouten!' brulde mam ineens; het galmde door het huis. 'wegwezen!'

Ik dacht niet dat hij echt zou weggaan, maar de deur van de woonkamer sloeg dicht. En de voordeur ook. Ik omklemde de trapleuning en ademde moeizaam. Ik staarde naar mijn tenen, niet zeker van wat ik moest doen, en toen piepte er een deur en verschenen Sophs grote en bange ogen in de kier. Ik zei dat ze weer moest gaan slapen, maar mam begon te huilen in de woonkamer, dus toen renden we allebei naar beneden.

'Mam?' Mijn stem klonk zacht na die ruzie. 'Mam, gaat het wel?'

Ze zat in elkaar gedoken op de leren bank en haar schouders schokten. 'Ik... Niks aan de hand...'

Soph stormde op haar af, ging op mams schoot zitten en sloeg haar armen om haar heen.

'Wat was dat allemaal?' vroeg ik, en ik deed geen moeite mijn ergernis te verbergen. Opa en mam, haar baan en Dot... Dat had allemaal niets met elkaar te maken. 'Wat is jouw schuld? Wat bedoelde pap?'

'Niks.' Mam veegde haar ogen droog, maar haar stem trilde.

'Het is niet niks!' Ik ontplofte. Ik ging voor mam staan met waarschijnlijk een woedende uitdrukking op mijn gezicht. 'Pap is net weggegaan!'

'Over vijf minuten komt hij wel weer terug, wanneer hij gekalmeerd is,' reageerde mam, en ze zette Soph van haar schoot af. 'Je bent een beetje zwaar, lieverd.' Ze stond op, haalde diep adem en veegde haar neus af aan haar mouw. 'Hij kan zo verdomde koppig zijn. Hij wil niet dat Dot iets krijgt waar ze echt iets aan zou hebben. Hij zet me onder druk jullie je opa te laten bezoeken, terwijl hij heel goed weet wat er is voorgevallen.'

'Wat is er dan voorgevallen?'

'Nou, ik laat me niet op mijn kop zitten,' zei mam, en

ze streek haar haren achter haar oren zonder ook maar naar me te hebben geluisterd. 'Absoluut niet.'

'Soph wordt op haar kop gezeten,' zei ik betekenisvol. 'Ze wordt gepest. Door meisjes in haar klas.' Met een ruk draaide mam zich naar Soph om, en Soph speelde met de mouw van haar pyjama. 'Het is al een poos aan de gang, en het wordt erger. Je moet iets doen, want het is echt erg. Niet gewoon schelden en zo. Een meisje dat Portia heet heeft haar geslagen.'

'Wat?'

'Echt waar,' zei ik, want ik zag hoe geschokt mam keek en ik hoopte dat ze bij zinnen zou komen. 'Ik dacht dat je wel zou willen weten wat er zoal speelt, afgezien van de dingen tussen pap en jou.'

En toen kwam hij het huis binnen met de krant onder zijn arm en met een stormachtige blik in zijn grijze oog. Geen van beiden bood excuses aan. Mam keek naar pap, die in de leunstoel ging zitten, en pap keek naar mam, die de kleren op de radiator goed legde, en ik heb geen flauw idee wat ze dachten, maar Stu, ik weet wel zeker dat het niet ging over gouden haren zo zacht als zijde, poeltjes tussen de rotsen of sterrenlicht.

Liefs,
Zoe xx

Fictiepad 1
Bath

3 maart

Hé daar, Stu,

Minder dan twee maanden te gaan. Heb je op je kalender een kruisje bij 1 mei gezet of heb je er misschien bij geschreven: 18.00 UUR – DODELIJKE INJECTIE? Ik kan alleen maar zeggen dat ik hoop dat je niet bang bent voor prikken, want Lauren is twee keer flauwgevallen toen ze op school moest worden ingeënt, en toen heeft ze bijna haar tong ingeslikt. Het moet echt raar zijn om te weten wanneer je doodgaat. De spanning bouwt zich op... Een beetje als met Kerstmis, maar dan zonder de kalkoen, tenzij je kalkoen voor je galgenmaal hebt besteld. Nou ja, misschien komt het niet zover, dus laten we het niet over alle extraatjes gaan hebben, want wie weet heb je nog een paar jaar als de non zich erop gaat storten. Niemand weet wat er over een maand of over twee maanden gaat gebeuren, en dat houd ik mezelf steeds voor als ik zenuwachtig word over die herdenkingsdienst.

Voor het geval je het je afvraagt: die wordt gehouden op school, omdat Sandra toestemming van het bestuur heeft gekregen om op 1 mei een tweegangendiner in de aula te geven, bereid door de kantinedames.

'Het wordt heel fijn,' zei ze in het weekend in de serre, en mam glimlachte en ik dacht aan een eerbetoon met wentelteefjes. 'En zo zamel ik meteen geld in voor de school. Vijftien pond per couvert. Jij mag uiteraard gratis,' zei ze met een klopje op mijn been. Ik schoof een eindje weg en deed of ik kriebel op mijn knie had. 'Heb je er al aan gedacht wat je gaat voorlezen?' Ik antwoordde daar niet op. Dat kon ik niet. De zon kwam door de wolken en pinde me vast aan de bank als een warme gouden speld.

'Je hebt het erg druk gehad op school, hè?' zei mijn moeder, terwijl het zweet me uitbrak.

'Nou, ik dacht dat het fijn zou zijn om iets persoon-lijks te hebben. Iets wat ze zelf heeft geschreven,' ging Sandra verder, alsof ik er niet bij was. 'Iets vanuit het hart.'

'Dat zou je goed kunnen, Zoe,' zei mijn moeder, en ze pakte mijn hand. 'Je kunt heel goed schrijven.'

Dat was lief om te zeggen, maar Stu, toen ik het pro-beerde, kreeg ik alleen zijn naam vijf keer onderstreept op papier. Ik maakte er een prop van en gooide die met een geërgerde kreet in de prullenbak, en die gaf ik nog een harde trap na en dat deed pijn aan mijn voet, maar dat verdiende ik, dus gaf ik er nog een paar trappen tegen, en ik vond het vreselijk dat ik mezelf zo pijnigde en dat ik iedereen pijn had gedaan. Het zou geweldig zijn om de regen, de bomen en de verdwijnende hand te kunnen vergeten, om net zo te zijn als opa na de beroerte: in de war en herinneringen opzijschuiven en om een kommetje aardbeienpudding vragen.

Als ik dat allemaal niet kan vergeten, dan moet ik het eruit zien te krijgen, nu meer dan ooit, want Stu, veel tijd hebben we niet meer. Hoe moeilijk het ook is, ik moet doorgaan, omdat jij de enige bent die het begrijpt en als alles verkeerd gaat, dan is na 1 mei mijn kans verkeken. Dan ga je dood zonder het ergste over mij te weten, terwijl ik wel het ergste van jou weet, en dat is niet eerlijk, want we zitten in hetzelfde schuitje, maar maak je geen zorgen, ik ga door tot het bittere einde om je af te leiden en om je je niet zo alleen te laten voelen in je cel, die er waarschijnlijk steeds kleiner uitziet, en de buitenwereld lijkt vast steeds verder weg.

DEEL XII

We beginnen met Dots zesde verjaardag op 16 februari, dus stel je maar voor dat ze me wakker maakt door op mijn bed te springen – nou ja, eigenlijk op mijn hoofd, als ik het me goed herinner, en haar knie was best hard.

'Het is een bijzondere dag voor me!' Dat gebaarde ze vlak voor mijn gezicht, zodat ik haar handen kon zien. Haar pink kwam tegen mijn neus aan.

'Weet ik.'

'Waar is mijn cadeautje dan?'

Ik deed net of ik schrok. 'Vergeten!'

Dot kneep haar ogen tot spleetjes. 'Dat lieg je.'

'Nee, echt niet. Ik heb het vergeten.'

Dot pakte mijn oren en keek me aandachtig aan met haar neus tegen de mijne.

'Liegbeest!' Wild gebarend danste ze in het rond. 'Liegbeest! Liegbeest! Liegbeest!'

Lachend stapte ik uit bed en deed mijn kast open, waar verstopt onder mijn schoenen het cadeau lag. Dot scheurde het papier eraf en vond toen een goudkleurig plastic kroontje met daarop: KONINGIN VAN DE WERELD. Met grote ogen keek ze ernaar.

'Vind je het mooi?'

'Nou! Geweldig!'

We zaten op de grond en nipten van de fantasiethee in Buckingham Palace.

'Zal ik je een geheim vertellen?' gebaarde ze. Ik knabbelde aan een fantasiekoekje en wachtte. 'Jij bent de fijnste van de familie. De aller-allerfijnste.'

Ik tikte haar op haar neus met mijn fantasiekopje. 'Dank je wel.'

'Dit is mijn mooiste cadeau ooit. Beter dan wat ik van mam heb gekregen.' Ze trok haar neus op. 'Boeken. En kleurboeken. Niet wat ik had gevraagd.'

Ik hield mijn hoofd schuin. 'Wat had je dan gevraagd?'

Met een treurige blik keek Dot terug. 'Nieuwe oren.'

'Vroeg je daarom een iPod aan de Kerstman?' vroeg ik terwijl ik haar op schoot trok. 'En heb je hem ook om nieuwe oren gevraagd?'

Ze knikte. 'Maar alleen in het PS onder aan mijn brief, zodat hij het misschien niet heeft gezien.'

'Misschien,' bracht ik uit, vol medelijden met haar, en ik wiegde haar, wetend dat het niet hielp, maar ik wilde toch íéts doen.

Ze keek naar me op met haar echt groene ogen. 'Waarom ben ik zo geboren?'

'Dat weet ik niet. Je hebt het niet voor het kiezen.'

'Nou, maar ík vind het niet eerlijk.'

'Nee,' zei ik. 'Ik ook niet.'

De hele ochtend moest ik aan haar denken. Onder de douche. Bij het ontbijt. Onderweg naar de bibliotheek. Echt hoor, ik luisterde nauwelijks naar mevrouw Simpson, die maar doorging over het opknappen van haar huis, terwijl ik oude boeken plakte aan de balie.

'... dus uiteindelijk koos ik toch maar voor een olijfgroen kleed.'

'Mooi.' Met mijn duim probeerde ik het plakband los te krijgen van het rolletje, en ik vroeg me af of mam elke dag zo bezorgd was om Dot.

'Ik bedoel, even overwoog ik saliegroen, maar ik vond dat toch een beetje te veel van het goede.'

'Ja?'

'Echt, Zoe, ik heb nog nooit van mijn leven salie in die kleur gezien, en ik kan het weten, want ik kook veel, en dat zei ik ook tegen de verkoper. Nee, ik denk dat ik de juiste keus heb gemaakt. Olijfgroen is beter. Rustiger.'

'Ja, absoluut.'

'En trouwens ook nog goedkoper, dus ik kon ook... Is dat je vriend niet?' vroeg mevrouw Simpson.

'Vast,' zei ik zonder dat ik iets had gehoord.

'Daar? Bij de wenteltrap?'

Ze wees met een boek naar die plek, en de adem stokte in mijn keel. Aaron liep langs de planken met literatuur, op zoek naar een boek en geen enkele aandacht aan mij

bestedend. Hij krabde op zijn hoofd en zag er ongetwijfeld expres verbijsterd uit omdat hij wilde dat ik hem
kwam helpen. Ik trok een etiket stuk. Ik stond op. Ik
durfde niet. Ik ging weer zitten; mijn benen jeukten
onder het bureau en ik sprong op. Ik gooide de bak met
RETOUR om, en hoopte dat er iets bij zat wat thuishoorde
bij Literatuur.

Twee breiboeken.
Een boek over bruggen.
Een encyclopedie over godsdienst, en die gooide ik
vloekend opzij.

Ik stak mijn hand in de bak, en daar, in een hoek, was
nog iets. Gauw haalde ik het eruit. Een roman van
George Elliot! Met het boek tegen mijn borst gedrukt
spoedde ik me naar de trap. Aaron had ook een boek
gepakt en las wat er op de achterflap stond terwijl hij
wegliep van het schap, en Stu, als hij in de gaten had dat
ik eraan kwam, dan liet hij dat niet merken. Ik liep de
trap op en hij liep de trap af, en we draaiden en onze
voeten maakten lawaai op het metaal. Halverwege
kwamen we elkaar tegen en toen was het net of we
midden in een spiraal van Aarons DNA stonden; ik was
omringd door hem en opgenomen door hem en de rest
van de wereld verdween in het niet.

'Goh, dat ik jou hier tegenkom,' zei ik, en ik lachte er
zelfs bij, omdat ik ervan overtuigd was dat hij het goed
kwam maken.

'Het is hier toch een bibliotheek? Ik heb een boek
nodig.' Zijn toon verraste me. Nam me de wind uit de
zeilen. Aaron hield een boek op dat bij Dickens had

gestaan. 'Voor mijn essay van maandag. Ik heb mijn exemplaar na college laten liggen. Daarom ben ik hier.'

Ik stak mijn eigen boek op en wees naar beneden. 'O, nou ja, ik ben hier om dit boek terug te zetten.'

We keken elkaar kwaad aan, maar er stond meer dan woede in onze ogen. We gingen niet opzij. Dat wilden we niet. Ik stond hem in de weg en hij stond mij in de weg, en we bleven maar staan, en boven ons en beneden ons liepen mensen alle kanten op terwijl wij ertussenin stonden.

De lucht zinderde. Er was statische ruis als vlak voor een onweer.

'Je had niet moeten zeggen dat ik een bitch ben,' zei ik uiteindelijk.

'Jij had je niet als een bitch moeten gedragen,' reageerde hij, maar we keken elkaar nog steeds in de ogen en dachten aan die avond en aan alle avonden daarvoor, en daar waren de uil, het vreugdevuur, het muurtje bij mijn huis en het raampje met onze trillende handen. Duizend gemiste kansen.

Duizend-en-één.

'Kun je misschien uit de weg gaan?' vroeg Aaron gedwongen. 'Ik moet weg.'

Te teleurgesteld om voet bij stuk te houden stapte ik opzij om hem door te laten. Onze lichamen raakten elkaar, en ik wist zeker dat hij ook dat brandende gevoel opmerkte terwijl de trap ratelde en dat ratelen door ons lichaam trok.

Op de eerste verdieping vroeg een man me waar de thrillers stonden, en Aaron bereikte de balie.

'Zijn er ook boeken van Amerikaanse auteurs?' vroeg de man. 'Andere dan Grisham, bedoel ik.' Beneden overhandigde Aaron zijn bibliotheekpasje. Er flitste iets bruins toen hij even mijn kant op keek, en toen iets blozends, omdat hij merkte dat ik het had gezien. 'Ik heb al zijn boeken al gehad. Behalve *Achter gesloten deuren*, maar ik heb de film *The Pelican Brief* gezien, dus dat verhaal ken ik al.' Mijn lippen jeukten van alles wat ik wilde zeggen. Alles wat ik móést zeggen. 'Het is natuurlijk niet hetzelfde als lezen, maar...'

'Het spijt me,' viel ik hem in de rede, terwijl mevrouw Simpson Aarons boek scande en de datum erin stempelde en hij naar de uitgang liep. 'Het spijt me, ik moet...' Zonder de zin af te maken stormde ik de trap af. 'Wacht!' zei ik stilletjes terwijl ik langs de balie rende en mevrouw Simpson me nariep. Ik duwde tegen de deur met het kille glas en liet die wild draaien terwijl ik door de lobby de regen in racete – echte Engelse regen die in strepen viel en niet in puntjes, die me natspetterde, mijn haren en mijn kleren doorweekte. Paniekerig keek ik om me heen; ik tuurde het trottoir af naar Aaron, maar het had geen zin. Hij was weg.

Terug in de lobby zakte ik bij de radiator door mijn knieën, ik zat met mijn hoofd in mijn handen op mijn hurken. Dit was het dus. Mijn kans verkeken. Maar toen hoorde ik een wc doortrekken, en ja hoor, daar kwam Aaron uit de toiletten; hij veegde zijn handen droog aan zijn spijkerbroek. Gauw kwam ik overeind en rende op hem af, en mijn schoenen sopten en mijn pony zat tegen mijn voorhoofd geplakt. Misschien was het maar *wishful thinking*, maar ik meende een lachje bij Aaron te zien terwijl ik op de grond drupte, en Stu, dat bedoel ik niet als metafoor, maar misschien was het dat toch wel, omdat ik toen ik zijn grijns zag vanbinnen helemaal smolt.

'Hoor eens, Aaron, ik wist het niet, oké?' flapte ik eruit. 'Ik wist niet dat jullie broers waren. Eerst niet.' Als er al een lachje was geweest, dan was het meteen verdwenen. 'Ik heb de eerste keer met Max gezoend omdat jij was verdwenen. Alleen daarom! Geloof me.'

'Ik was niet echt verdwenen,' mompelde Aaron, en hij sloeg zijn armen over elkaar. 'Ik ging alleen maar een eindje de straat op omdat mijn moeder belde en ze niet wist dat er een feest was thuis.'

'Ik heb je gezocht,' zei ik met mijn handen uitgestoken. 'Ik heb overal gezocht! En bij het vreugdevuur zoende ik met Max omdat ik van streek was vanwege je vriendinnetje.'

'Maar ik heb geen...'

'Ja, dat weet ik nú!' zei ik terwijl ik geërgerd de regen van mijn gezicht veegde. 'Maar toen dacht ik dat jullie een stelletje waren; dat zweer ik.'

Aaron keek geërgerd. 'Nou en? Je kwam tot een conclusie en ging toen maar met mijn broer aan de haal?'

'Maar ik wíst niet dat jullie broers waren toen het allemaal begon!' riep ik uit, want ik wilde wanhopig graag dat hij me geloofde. 'Hoe had ik dat moeten weten? Ik zou nooit...'

'Maar je kwam er wel achter,' reageerde Aaron. 'Je kwam erachter dat we broers waren, en je ging gewoon door.'

'Omdat jij het me had verteld!'

'Dus je hebt hem gewoon maar gebruikt?' vroeg Aaron.

'Nee! Ik bedoel... Kijk, ik mag Max heus wel, echt waar, maar..'

Met een grauw trok Aaron zijn capuchon over zijn hoofd en stormde naar buiten.

Ik rende achter hem aan, greep zijn arm vast en draaide hem om voordat hij de kans kreeg te verdwijnen. 'We kunnen het hier niet bij laten!' riep ik uit terwijl de regen op me neerkletterde.

'Waarbij?' schreeuwde Aaron terwijl hij zich losrukte. Hij hijgde, en onze harten gingen tekeer, en ik móést het hem laten begrijpen.

'Dat je denkt dat ik voor Max heb gekozen.'

'Je hebt voor Max gekozen.'

'Omdat ik niet wist dat jij ook een optie was!'

Zonder erbij na te denken, zonder me zorgen te maken over de gevolgen, pakte ik Aarons gezicht beet en trok het naar het mijne, en onze monden klapten zo hard tegen elkaar dat het op een fijne manier pijn deed.

We gingen uit elkaar staan, met een geschrokken uitdrukking op ons gezicht. Heel even gebeurde er niets. Er gebeurde niets, en alles gebeurde tegelijk omdat we op dat moment geen spijt betuigden, maar lachten en er een geluksgevoel was dat groter was dan een gevoel van schuld. Nadat Aaron om zich heen had gekeken of echt niemand het kon zien, pakte hij mijn hand en begonnen we te rennen, vol adrenaline, wanhopig op zoek naar een plek waar we alleen konden zijn. Het ging steeds harder regenen, alsof de natuur aan onze kant stond en anderen binnen hield. Gebouwen, straatkeien, stoepjes, steegjes, kerken en parken – alles, de hele stad, was één dierbaar moment van ons, en dat moment was lang en breed, en Stu, we vulden het helemaal op.

Dit was leven.

Echt leven.

Kleuren waren feller. Geuren krachtiger. Geluiden luider. Ik hoorde elk borreltje van het water dat uit een regenpijp kwam, ik zag elke gradatie groen terwijl we langs bomen holden, ik rook de geuren van regen, modder en uitlaatgassen toen we ons verscholen in een toren bij de stadsmuur. Aaron kuste me in het half-duister, zijn lippen zacht, maar zijn vingers gretig. Ik rook hem, Stu: tandpasta, zeep en deodorant – niets bijzonders, maar ik sloot mijn ogen met zijn handen in mijn hals, op mijn rug, in mijn haar, misschien zelfs in mijn hart, terwijl we elkaar kusten en onze lichamen tegen elkaar aan drukten; en onze voeten werden nat in een plas, maar dat merkten we nauwelijks.

Liefs,
Zoe xx

Fictiepad 1
Bath

17 maart

Hallo daar, Stu,

Het is een hele opluchting om hier vannacht met jou te
zijn. Er ligt een deken die Dot hier zeker heeft achtergelaten, dus daar heb ik me onder genesteld, blij verstopt te zijn. Echt hoor, ik weet niet hoelang ik dat
doen-alsof kan volhouden, want Stu, stel je eens voor dat
een actrice in *The Wizard of Oz* de tekst door elkaar
haalt en de groene schmink van de groene heks op de
planken druipt, alleen natuurlijk het tegenovergestelde:
dat mijn eigen gezicht eraf druipt om iets heel verschrikkelijks eronder te tonen. Het publiek hapt naar adem.
Mam. Pap. En Sandra's mond staat het wijdst open.

Vanavond was ze er ineens weer. Onaangekondigd kwam
ze langs; ze belde drie keer aan en stapte onuitgenodigd
de gang in.
   'Wat moet zij hier?' gebaarde Dot. 'En waarom heeft ze
haar haren niet gewassen?'
   'Dot zegt: hallo,' mompelde pap terwijl hij Sandra in de

woonkamer liet met een 'Hoe gaat het?' en 'Leuk je weer te zien', hoewel ik aan hem kon zien dat hij geschokt was door haar plotselinge verschijning.

'Ze ruikt raar,' gebaarde Dot.

'Mijn dochter is verkouden,' legde pap uit, omdat Dot verwoed met haar hand voor haar neus zwaaide. 'Wat kan ik voor je betekenen, Sandra?'

Hij gebaarde naar een leunstoel, maar Sandra knielde op de grond, waar ik zat. Haar T-shirt bood geen echte bescherming tegen de kou, en ze had dan ook kippenvel op haar magere armen. Dot overdreef niet wat haar geur betreft. Terwijl Sandra haar tas ondersteboven hield en hem uitschudde, rook ik de alcohol in haar adem. Bij mijn voeten vielen foto's op de grond.

'Om te laten zien bij de herdenkingsdienst, op het mededelingenbord. Ik dacht dat jij ze wel eerst zou willen zien, Zoe.'

Voordat ik iets kon zeggen, zei pap met een frons: 'Ben je met de auto hier gekomen, Sandra?'

Sandra lachte met haar wijnbevlekte lippen. 'Kijk deze nou,' zei ze, en ze stak een foto op van een op zijn buik liggend klein jongetje met talkpoeder op zijn mollige beentjes. 'En deze!'

'Wat een dikke baby,' gebaarde Dot.

'Leuk,' zei pap. 'Heel leuk.'

Slepende voetstappen, en mam kwam op sloffen met een boek in de hand de kamer in, waar ze stokstijf bleef staan toen ze Sandra foto's op het kleed zag uitspreiden.

'Eh... dag,' zei ze. 'Wat gebeurt hier?'

'Die mevrouw is gek geworden,' gebaarde Dot.

'Sandra laat ons een paar foto's zien,' zei pap met een boze blik op Dot. 'Is dat niet aardig?'

Een lachende kleuter met een chocoladesmoel.

Een jongetje van een jaar of negen met een korstje op zijn knie.

De eerste schoolfoto.

De laatste schoolfoto.

Een foto van mij op het Lentefeest tussen de twee broers in.

Sandra gaf me die foto, en ik pakte hem aan met handen die niet ophielden met trillen. Iemand zou dat opvallen, daar was ik zeker van, dus liet ik de foto op mijn schoot vallen en drukte ik mijn handen tussen mijn knieën tegen elkaar, en ik vond het vreselijk dat ze zo klam waren. Mijn gezicht was ook onmogelijk, en ik deed mijn best te lachen, al wilden mijn lippen niet meewerken.

'Je zou toch niet zeggen dat er iets verschrikkelijks stond te gebeuren,' zei Sandra zacht terwijl ze naar de foto keek. 'Er is geen enkele aanwijzing... Eigenlijk zou ik je iets willen vragen,' mompelde ze, en mijn maag draaide zich om. 'Iets over die avond.'

'Ik weet niet of Zoe dat wel aankan,' zei mijn moeder gauw toen ze zag dat het bloed wegtrok uit mijn gezicht. 'Ze praat niet graag over het Lentefeest.'

'Het is belangrijk.'

'Ik denk dat het beter is als we naar de foto's kijken,' zei mam. 'Er zitten vast hele mooie tussen.'

'Waarom gingen jullie weg?' ging Sandra gewoon door, en hoewel ze had gedronken, hield ze haar blik strak op mij gericht.

'Dat heb ik toch verteld? We gingen wandelen,' zei ik, iets te snel.

'Maar waarom?'

'Dat is een leuke,' zei mam, en ze wees op een foto van Max, Aaron en Fiona op drie mountainbikes. 'Lief. Laten we de andere ook eens bekijken.' Ze wilde een foto pakken, maar Sandra veegde ze bij elkaar.

'Ik wil begrijpen wat mijn zoon op het laatst deed.'

Mijn hart ging vreselijk tekeer; het wilde uit mijn ribbenkast springen om aan de vragen te ontkomen, en ik sprong op. 'Het is moeilijk voor me,' zei ik. Mijn ogen stonden vol tranen. 'Ik kan er niet over praten. Dat kán ik niet. Ik droom aldoor over die avond, en ik word bang als ik eraan denk, omdat het nog zo...'

'Rustig maar, lieverd,' zei mam, en pap legde een hand op mijn zweterige rug.

Blozend drukte Sandra de stapel foto's tegen zich aan. 'Het spijt me. Ik... Ik begrijp alleen niet waarom jullie weggingen van het Lentefeest. Door het bos. Waar gingen jullie dan heen?'

'Nergens heen. We verveelden ons,' loog ik. 'Dat is alles. We verveelden ons.'

'Hadden jullie het maar niet gedaan,' verzuchtte Sandra, en Stu, toen liep ik op bibberbenen de kamer uit en deed of ik een kopje thee ging zetten. Tien minuten later stond ik nog naar de waterkoker te staren, en mam moest hem aanzetten.

Liefs,
Zoe xxx

Fictiepad 1
Bath

1 april

Lieve Stu,

Uiteindelijk heb ik Sandra gezegd dat ik niet kon spreken op de herdenkingsdienst. Ik rende naar haar huis,
rukte de deur open en stormde de serre in, en ik brulde
slechts één woord: 'NEE!'

Met tot spleetjes geknepen ogen keek Sandra op van
de foto's. 'Wat?'

'Nee, gewoon nee!' schreeuwde ik, en ik wees zelfs
met een trillende vinger recht in haar gezicht. 'Néé!'

Eén april, Stu.

Soms doe ik 's nachts net of de afgelopen paar maanden
één grote grap zijn geweest. Terwijl ik in het donker lig,
houd ik mezelf voor dat dit mijn leven niet is. Ik hoef
alleen maar tot middernacht te wachten en dan draait
Sandra zich om en roept: 'Had ik jou even goed te
pakken!', en in de doodskist klinkt een stem: 'Eén april!',
en dan lach ik totdat de tranen over mijn wangen

biggelen, en dan zetten de bewakers je celdeur open en dans je langs de dodencellen met een verlicht gemoed en je vrouw wacht thuis op je met nauwelijks steekwonden in haar lijf.

Laten we eens doen of dat echt kon gebeuren. Jij doet jouw ogen dicht en ik de mijne, en dan dromen we over de oceaan heen dezelfde droom en verlichten de duisternis van ons allebei. Zie je het voor je, Stu? Zie je ons daar boven, stralend in al dat zwart?

Ik ook niet.

Ik denk niet dat de non je komt redden, want ik heb er op Google niets over gezien. Misschien geloofde ik niet dat het zou gebeuren, want ik kijk er niet van op dat ze niet voor je gevangenis staat met een petitie met honderd namen erop. Misschien verwachtte ik geen goede afloop. In elk geval hebben we elkaar, minstens voor de komende paar dagen, dus laten we daar maar het beste van maken en verdergaan waar we zijn opgehouden, met natte voeten in zompige schoenen onderweg terug de bibliotheek in.

<u>DEEL XIII</u>

We waren er helemaal uit toen we afscheid namen in de lobby. Aaron zou alles in het weekend uitleggen aan Max, voordat ik hem weer op school zou zien, waar ik hem zou aanspreken om hem persoonlijk mijn excuses aan te bieden, omdat ik niet laf was, en daarna zouden Aaron en ik langzaamaan doen en het hem niet inwrijven; we zouden wachten tot Max ermee verzoend was en dan pas zou ik daar weer over de vloer komen. Toen ik bijna klaar was met mijn werk in de bibliotheek, had ik mezelf ervan overtuigd dat Max er waarschijnlijk in minder dan twee weken overheen zou zijn en een ander meisje zou hebben gekozen uit de duizenden die op school in hem geïnteresseerd waren.

'Je ziet er blij uit,' zei mam toen ik instapte met kroeshaar van de regen.

Ik leek te stralen toen ik lachend zei: 'Het werk was zeer de moeite waard.'

'Kom op! Als je er zo opgetogen uitziet, betekent het maar één ding.'

'Mam!'

'Vergeet niet dat ik ook jong ben geweest,' zei ze. 'Zo'n beetje. Wie is hij?'

'Niemand!' riep ik blozend uit.

'Nou, dan moet niemand wel heel leuk zijn,' reageerde ze, en ze keek in de spiegeltjes voordat ze wegreed. 'Je doet wel voorzichtig, hè? Ik vind het niet fijn als je je door jongens laat afleiden.'

'Ik laat me door niemand afleiden.'

'Mooi zo. Want weet je, jongens komen en gaan. Niet zoals examencijfers. Die blijven altijd bij je.'

'Wat romantisch,' mompelde ik terwijl we over de weg reden. Het regende niet meer, maar in de plassen wierpen we water op, en ik vond het geluid daarvan heerlijk, en ook de grijze lucht boven de bomen, en het verkeer, de winkels en de hele gewone buitengewone wereld.

'Zo zit het in elkaar, schat. In de toekomst is er tijd

genoeg voor jongens, maar op school heb je maar één kans en...' Ze zweeg toen ik diep zuchtte. 'Sorry.'

Verrast keek ik haar aan. 'Geeft niet.'

'Toch wel.' Ze blies haar wangen op. 'Misschien heeft je vader wel gelijk, wat mij betreft.' Ze tikte op mijn knie. 'Maar vertel hem niet dat ik dat heb gezegd, hoor!'

We reden in stilte verder, allebei in gedachten verzonken. Terwijl we de auto wegzetten op de oprit, keek Soph uit het raam van haar kamer, maar ze lette totaal niet op mijn zwaai en trok het gordijn dicht.

'Wat is er met haar?' vroeg ik toen ik uitstapte.

'Ik vrees dat ze niet in een beste bui is,' antwoordde mam. 'Die meisjes op school...'

'Wordt het erger?'

Bezorgd schudde mam haar hoofd. 'Nee, dat niet.' Ze deed de kofferbak open en overhandigde me een grote witte doos met Dots verjaardagstaart erin. 'Niet laten vallen, hij was duur.' Ze haalde er nog drie tassen uit en kwam toen achter me aan naar binnen, en bij de deur zei ze dat ik mijn schoenen moest uitdoen. 'Gisteren heb ik een gesprek met Sophs juf gehad.'

'Heb je haar over Portia verteld?'

'Ja.'

'En wat zei ze toen?'

Zachtjes zei mam: 'Dat er helemaal geen Portia bij Soph in de klas zit.'

'Nou, dan zit ze zeker in een andere...'

'Er zit op de hele school geen Portia,' zei mam terwijl de witte doos bijna op de grond viel. 'Ze heeft het ver- zonnen, Zoe. Ze heeft het allemaal verzonnen.'

Voordat ik dat kon laten bezinken, stormde Dot druk gebarend met haar nieuwe kroon op de woonkamer uit 'Is dat mijn prinsessentaart?'

'Precies zoals je had besteld,' reageerde mam. 'En, ho is het met mijn jarige meisje?'

'Laat zien! Laat zien!'

Mam zette de tassen neer en tilde het deksel van de doos op. Met stralende ogen keek Dot naar het roze glazuur; vervolgens rende ze naar boven en Sophs kamer in.

'Ga weg!' riep Soph hard.

'Jemig, ze is wel heel erg uit haar humeur,' mopperde mam. 'Eigenlijk geen wonder, na al haar leugens. Vanochtend heb ik haar daarmee geconfronteerd. Ze gaf to dat ze het allemaal uit haar duim had gezogen. Maar ze wou niet vertellen waarom ze het had gedaan.'

Ik ging naar de keuken en zette de doos op tafel, terwijl ik zei: 'Nou, dat lijkt me wel duidelijk. Omdat ze jaloers is, toch?'

'Jaloers op wie dan?' vroeg mam, die zes kaarsjes pakte en bewonderend naar de taart keek.

'Op Dot.'

Meteen keek mam op. 'Waarom zou ze jaloers zijn op Dot?'

Ik haalde mijn schouders op. 'Omdat je zoveel tijd aa haar besteedt?'

Mam wilde net een kaarsje in de taart steken en blee met gestrekte arm staan. 'Dat moet ik wel, Zoe. Ze is doof...'

'Dat hoef je mij niet uit te leggen. Ik snap het wel,' ze ik, en voor de eerste keer dacht ik dat ik het inderdaad begreep. 'Het is best zwaar Dot zo te zien worstelen.'

Mam slikte en omklemde de kaarsjes. 'Precies.'

'Maar Soph heeft het ook moeilijk, mam. Als je niet bezig bent met Dot maak je wel ruzie over opa, een baan of geld, en... Nou ja, ik weet niet, het is best rot om steeds naar dat geruzie te moeten luisteren. Sorry,' zei ik gauw, want ik dacht dat ik te veel had gezegd en de wind van voren zou krijgen.

'Daar hoef je niet sorry voor te zeggen,' zei ze, en opeens ging ze zitten en staarde naar de kaarsjes in haar hand. Ik wilde weggaan, maar voordat ik de keuken uit was, zei mam: 'Wil je even tegen Soph zeggen dat ik met haar wil praten?'

Ik heb geen idee wat er werd gezegd, maar tijdens de lunch had Soph rode, opgezette ogen. De lasagne was prima gelukt, met knapperige goudkleurige kaas bovenop. Dot giechelde en gebaarde als een gek; ze was helemaal high van opwinding vanwege haar partijtje de volgende dag op de bowlingbaan, ze vroeg zich af wat ze van haar vriendjes en vriendinnetjes zou krijgen en ze verheugde zich op de bowlingschoenen.

'Mag ik die houden?' gebaarde ze.

Pap schoot in de lach. 'Nee, dommerdje. Je moet ze teruggeven. Maar twee uur lang zijn ze van jou.'

'Twee hele uren?'

'Twee hele uren.' Pap kietelde haar onder haar kin.

'Kinderen...' fluisterde mam tegen Soph, en die begon te grijnzen.

Stu, je vraagt je waarschijnlijk af hoe het eraan toeging in Aarons huis, en geloof me, daar moest ik ook aan denken terwijl ik met een buik vol verjaarstaart op de bank lag en mijn ouders een lang gesprek in de keuken hadden. Wie weet waar het deze keer over ging, maar in elk geval waren ze niet tegen elkaar aan het schreeuwen, dus kon ik vredig aan de broers denken. Nou ja, vredig... Als vredig voelt of je kippenvel in je buik hebt. Er kwam angst bij kijken. En blijdschap. Voor de honderdste keer keek ik op mijn mobieltje, om niets te zien dan de foto van Dot op het schermpje, en die had ze trouwens zonder dat ik het wist zelf genomen; ze stak haar tong uit met haar ogen omhoog en haar neus naar boven gedrukt, zodat ik recht in haar neusgaten kon kijken.

Er was niets wat de tijd deed opschieten, niet bladeren in een tijdschrift, niet schrijven aan *Bizzel het Bazzelbeest* of mijn kamer opruimen totdat zelfs mijn dvd's op alfabetische volgorde stonden. Er was niets te doen dan onder mijn paarse dekbed kruipen en wachten. Ik maakte een tent waarmee ik het universum buitensloot, en daar lag ik in toen mijn mobieltje geluid maakte. Ik staarde naar het scherm, waar Aarons naam mijn wereld verlichtte.

'Hoi,' zei ik, belachelijk blij iets van hem te horen.

'Hoi,' zei hij op de tegenovergestelde toon.

'Hoe ging het? Was hij kwaad? Heeft hij je gestompt?' Er kwam geen reactie. 'O nee, hij heeft je geslagen, hè? Gaat het een beetje?'

Aaron haalde diep adem. 'Echt, ik ging het hem vertellen...'

'Hoe bedoel je? Heb je het hem nog niet verteld?'

'Ik kon het niet, Zoe. Echt niet. We hadden afgesproken met mijn vader. Woensdag was hij ergens heen met zijn vriendin, dus hadden we vanmiddag afgesproken. Hij moest ons iets belangrijks vertellen.'

Ik sloot mijn ogen, bang voor waar dit naartoe ging. 'En dat was?'

'In het kort: ze gaan niet uit elkaar.'

'Is ze zwanger?'

'Nee. Ze gaan trouwen. Hij heeft haar op Valentijnsdag gevraagd. De bruiloft is in april.'

'In april? Is dat niet erg gauw?'

'Ze weten niet waarom ze zouden moeten wachten. Je had hem moeten horen,' zei Aaron vol walging. 'Hij is helemaal hoteldebotel.'

'Gaat het wel met je?'

'Met mij wel, maar Max... Het lukte hem zijn emoties binnen te houden toen we bij mijn vader waren, maar eenmaal thuis liet hij zich gaan. Het was heel erg.'

Ik rukte het dekbed van me af omdat ik dringend lucht nodig had. 'We moeten het hem vertellen.' Geen reactie van Aaron. Ik ging op mijn rug liggen en keek met een hand op mijn voorhoofd naar het plafond. 'We kunnen dit niet verborgen houden. Niet na gisteren. We móéten het hem vertellen.' Er kwam niets door de telefoon. 'Aaron? Zeg iets!'

'Het spijt me.'

Ik slikte moeizaam en voelde me steeds angstiger. 'Wat bedoel je?'

'Hij heeft me nodig, Zoe. Hij heeft jou nodig.'

'Maar ik kan niet doen alsof...' De tranen sprongen in mijn ogen. 'Ik kan niet maandag naar school gaan zonder te vertellen wat er in de bibliotheek is gebeurd.'

'Toe,' smeekte Aaron. 'Gun ons de tijd om na te denken wat we het beste kunnen doen.'

'Bedoel je nou echt dat ik gewoon naar hem toe moet gaan en hem zoenen, dus doen of er niks aan de hand is?'

'Ja. Nee... O, ik weet het niet. Hoor eens, zie ik je morgen?' vroeg hij, en het klonk zo wanhopig dat ik hem vertelde over Dots partijtje en uitlegde dat ik het huis een paar uur voor mezelf zou hebben omdat ik niet mee mocht, maar van mam moest leren voor een natuurkundeproefwerk. 'Ik kom wel bij jou, dan kunnen we het erover hebben,' zei hij. 'We komen er wel uit, dat beloof ik.'

'Oké.'

Er volgde een stilte, die pas na een poos werd verbroken door heel zacht gefluister. 'Ik heb er geen spijt van, Zoe. Misschien zou ik wel spijt moeten hebben, maar die heb ik niet.'

Ik omklemde het apparaatje. 'Ik ook niet. Nog geen sikkepit.'

'Je stem klinkt anders als je lacht.'

Ik lachte nog breder. 'De jouwe ook.'

'Wat een zootje...'

'Ja...'

'Maar we maken het in orde.'

'Ja.'

'En dan...'

'En dan.'

'Tot ziens, Vogelmeisje.'

'Tot ziens.'

De volgende dag deed ik of ik aan het leren was van mijn aantekeningen over magnetisme toen er op de deur werd geklopt. Aaron stond op de stoep met een blauwe spijkerbroek en een groene hoodie aan, en met een tennisracket in zijn hand.

'Mag ik alstublieft mijn bal terug?' vroeg hij als een klein jongetje, en ik slaakte heel meisjesachtig een gille-tje en sprong in zijn armen, en ineens begreep ik de principes van magnetisme veel beter dan ik ooit in de klas had gedaan. 'Ik wil mijn bal terug,' zei Aaron, terwijl ik hem mijn huis in trok. Mijn huis, Stu. Aaron was in míjn huis, zijn sportschoenen stonden op mijn kleed, en zijn geur vermengde zich met die van mijn moeders boenwas.

'Heb je echt een bal in mijn tuin gegooid?'

'Over je dak heen,' antwoordde Aaron, en hij deed alsof hij serveerde, en daarbij raakte hij met zijn racket per ongeluk een lampenkap.

We renden door het huis naar de achtertuin om de bal te gaan zoeken; we keken onder bladeren en staken ons hoofd in de struiken en met onze voeten bogen we planten naar opzij. Het werd een idiote wedstrijd om als eerste de bal te vinden, en we zagen hem allebei tegelijk in een bloempot. Ik dook eropaf, griste hem net voor Aaron weg en rende er in volle vaart mee weg terwijl ik de bal juichend boven mijn hoofd hield. Aaron kreeg me te pakken en tilde me met zijn armen om mijn middel hoog op.

'Hoera voor Vogelmeisje!' riep hij uit, en hij droeg me de tuin rond terwijl ik zwaaide naar de fans, en vervol-gens vielen we neer in het natte gras. 'Goed gedaan.'

'Dank je,' zei ik, en ik deed of ik een diepe buiging maakte. We lagen op ons rug met onze handen tegen elkaar, maar die hielden we niet vast, omdat we ons aan regels moesten houden en nog een gesprek te voeren hadden.

'En, wat gaan we nu doen?' vroeg Aaron ineens ernstig.

'Nog niet,' bracht ik kreunend uit. 'Nog even niet. Laten we hier nog een poosje blijven liggen.' Vanuit het niets begon een vogel te zingen, en ik ging zitten en keek om me heen om de bron van het geluid te vinden.

'Zwaluw?' vroeg Aaron.

Ik giechelde. 'Gewoon een merel. De zwaluwen zitten nog in Afrika. Waarschijnlijk hebben ze het daar reuze naar hun zin.' Ik ging weer in het gras liggen, en deze keer pakte Aaron wel mijn hand.

'Dit is wat ik ga doen,' zei Aaron, en hij keek naar de merel, die wegvloog met een geluid dat als vrijheid klonk. 'Een wereldreis maken.'

'Ik ga met je mee. Zodra we het Max hebben verteld en ik klaar ben met school en mam me niet kan tegenhouden. Ik spaar al het geld op dat ik in de bibliotheek verdien en dan gaan we naar...'

'Londen? Manchester? Leeds?' plaagde Aaron. 'Met jouw verdiende geld komen we niet erg ver.'

'Jij hebt het geld van je vader,' zei ik. 'Jij kunt ons allebei op avontuur laten gaan.'

Aaron trok me op zijn borst, en mijn benen waren tussen de zijne en onze harten klopten boven op elkaar. 'Afgesproken,' fluisterde hij, en zijn adem kriebelde in mijn oor. 'Zuid-Amerika of zo.' Hij gaf me een kusje op mijn voorhoofd. En toen op mijn oogleden. En op mijn lippen, en hij deed zijn mond open, zodat zijn tong tegen de mijne aan kwam.

Ik trok me terug en zwaaide met mijn vinger. 'Stouterd! We mogen geen stoute dingen doen.'

Aaron ging op me liggen en sloot de zon buiten. 'Soms zijn er goede redenen om stoute dingen te doen,' mompelde hij. 'Vraag maar aan Guy Fawkes.'

'O, jij...'

'Daar hou je van.'

'Ik hou van jou,' fluisterde ik, en ik legde mijn handen op zijn wangen en trok hem naar me toe, en ik overdekte zijn gezicht met kusjes, op zijn harde neusbrug en op zijn zachte wenkbrauwen en op zijn prikkerige kin, en hij fluisterde: 'Ik ook, ik ook, ik ook.'

Hoe wellustiger het eraan toeging, des te meer ik me voelde zweven, totdat, echt waar, ik daar boven was met de merel en opsteeg tot in de wolken. Toen het ging miezeren, trok Aaron me op, en Stu, we konden niet ophouden met zoenen. We gingen het schuurtje in, een waas van monden, handen en strompelende voeten, we stapten over gereedschap en wurmden ons langs een doos met tegels, en we werden steeds gretiger, terwijl onze liefde de raampjes deed beslaan en waarschijnlijk druppeltjes op de spinnenwebben liet neerslaan, glinsterend op de zijdeachtige draden.

Aaron maakte een plek vrij tussen de rotzooi, hij haalde paps jasje van een knop en spreidde dat uit op de stoffige vloer. Ik vond de onderkant van zijn trui en ik trok de trui op omdat ik hem van dichtbij wilde zien en voelen, zijn huid, en daar was hij, bleek, gaaf en stevig, en ik streelde er elke centimeter van zonder geluid te maken, en hij opende zijn mond toen mijn duim tegen het bruine krulhaar onder zijn navel kwam.

Hij nam mijn handen in zijn ene hand en hief mijn armen terwijl hij mijn topje over mijn hoofd trok, en mijn haar ging mee met het topje, om vervolgens terug te vallen op mijn blote schouders. In zijn ogen stond te lezen dat hij me mooi vond, en ik voelde me ook mooi toen hij mijn beha losmaakte, heel langzaam, alsof hij bang was het verkeerd te doen. Nauwelijks ademhalend trok ik hem neer op het jasje, en daar wikkelden we ons in, zo goed en zo kwaad als dat ging, en onze lichamen waren met elkaar verstrengeld, ze zaten in een knoop die niemand kon losmaken. Mijn huid kwam tegen zijn huid aan, zijn lichaam was warmer dan het mijne. Hij schoof zijn arm onder mijn hoofd. We knipperden tegelijkertijd met onze ogen. We ademden dezelfde lucht in, en net toen onze lippen elkaar bijna raakten klonk er oorverdovend:

TRING TRING

TRING TRING

TRING TRING

Aaron stak zijn hand in zijn achterzak, en door de uit-drukking op zijn gezicht wist ik wie hem belde.

'Moet ik opnemen?' vroeg hij paniekerig.

Voordat ik antwoord kon geven, had Max al opgehan-gen. Ik liet mijn hoofd weer op Aarons arm rusten en ademde uit – om onmiddellijk weer in te ademen toen mijn mobieltje geluid maakte in mijn zak.

'Je kunt maar beter aannemen, Zoe.'

'Dat kan ik niet!' En toch drukte ik op de toets, kwam op mijn elleboog overeind en draaide me af van Aaron.

We praatten, Stu, en ik kan het nauwelijks opschrijven, omdat Max zo van streek was over het aanstaande huwelijk van zijn vader en ik het gesprek wilde beëindigen en dingen mompelde die ik niet meende terwijl Max' broer naast me lag en zijn blote borst rees en daalde terwijl hij met zijn handen voor zijn ogen naar ons luisterde.

'Wat ben je aan het doen?' vroeg Max uiteindelijk, en ik kreeg een brok in mijn keel. Ik moest mijn keel schrapen. Twee keer.

'O, niet veel. Ik leer voor het natuurkundeproefwerk,' bracht ik met moeite uit, en Aaron gooide paps oude jasje opzij en stond zomaar op.

Ik hoorde Max zuchten. 'Daar moet ik ook nog voor leren. Heb je zin om hier te komen? Ik heb het huis voor mezelf. Mam is gaan shoppen met Fiona, en ik zou niet weten waar mijn broer uithangt.'

Ik vertrok mijn gezicht. 'Ik kan beter hier blijven,' zei ik, terwijl Aaron zijn hoodie aantrok, met een ruk over zijn hoofd en vervolgens zijn armen door de mouwen. 'Sorry. Ik moet me concentreren.'

'Toe?' zei Max, met een stem die ik niet kende. 'Ik wil je heel graag zien.'

'Het spijt me,' zei ik, en dat gold voor dingen die hij niet zou hebben geloofd. 'Ik moet hangen.'

Het duurde nogal om hem kwijt te raken, en toen ik eindelijk mijn mobieltje liet zakken, had ik buikpijn van schaamte.

'Je hebt gedaan wat je moest doen,' zei Aaron na een hele tijd, maar hij keek eerder naar de grasmaaier dan naar mij, en de tederheid was uit zijn stem verdwenen. 'Het is mijn schuld,' mompelde hij terwijl hij zijn haar met zijn vingers goed deed. 'Ik had niet moeten komen.'

'Zeg dat niet. Toe, zeg dat niet.'

Hij ging op de doos met tegels zitten, met een uitdruk-king van minachting voor zichzelf op zijn gezicht. 'Waar zijn we mee bezig, Zoe? Dit is fout. Dit is heel fout.' Ik ging op mijn knieën zitten en drukte mijn bovenlijf tegen zijn benen. Aaron legde zijn hand op mijn blote rug, en ik legde mijn hoofd in zijn schoot. 'Het kan weer gebeuren.'

'Weet ik.'

'We moeten het hem vertellen.'

Ik keek naar hem op. 'Ja. Maar wanneer?'

'Kweenie. Ik denk dat we op het juiste moment moe-ten wachten.'

'Er is geen juist moment,' fluisterde ik. 'Het zal ver-schrikkelijk zijn. Afschuwelijk.' Hij wreef over mijn schouder toen ik begon te huilen, en ik had de pest aan mezelf omdat ik zo zwak was, maar ik kon niet ophou-den. 'Laten we wachten tot na de bruiloft. Dat zei je gisteren ook door de telefoon. Hij heeft je nu nodig. En mij ook. We kunnen niet...'

'Maar dat duurt nog eeuwen, Zoe.'

Hulpeloos keken we elkaar aan. Ik snufte en deed mijn best om sterk te zijn. 'Het is maar een paar weken. Een paar weken, meer niet.' Ik hield zijn hand in de mijne, ik droogde mijn gezicht met mijn arm. 'We zou-den een datum moeten prikken waarop we het hem gaan vertellen. Ik weet niet, misschien 1 mei of zo.'

Aaron drukte een kus op mijn voorhoofd. 'Oké, 1 mei.'

Dus dat besloten we, Stu, we prikten gewoon maar een datum, en ik wil het niet hebben over wat er die avond gebeurde, nu niet en nooit niet. Ik wil het niet hebben

over de regen, de bomen of de verdwijnende hand, of
de blauwe zwaailichten, het gesnik of de leugens, de
doodskist of het gevoel van schuld waar ik me elke
minuut van elke dag bewust van ben. En als ik het
allemaal moet opschrijven, doe ik dat met potlood, zodat
ik het allemaal weer kan uitgummen, dat ik dat hele
gedeelte van mijn leven kan uitgummen, zodat het een
grote vlek van niets wordt en ik opnieuw kan beginnen,
met een zuiver hart en een naam die ik in blokletters
kan schrijven omdat ik niet bang ben die te onthullen in
een brief die is geschreven in een schuurtje in de tuin.

Liefs,
Zoe xxx

Fictiepad 1
Bath

12 april

Lieve Stu,

Tegen de tijd dat je deze brief krijgt, is het bijna afgelopen met je, en het spijt me heel erg dat ik niet meer
kon doen om je te redden. Ik kan alleen maar hopen dat
de zon schijnt tijdens je laatste dagen, dat die door je
raam schijnt terwijl de rode wouw in de hemel zweeft.
Ik hoop dat alles er anders uitziet, het geel helderder en
het blauw dieper en de rode veren levendiger dan je ooit
in je leven hebt meegemaakt. Voel je je rustig, of slaat je
hart als een gek? Als je aan zo'n ziekenhuismonitor lag,
zou je dan BOEM BOEM BOEM horen, alsof er een reus in
gevangenzit, of *boemboemboemboemboem,* alsof er een
muis door de snoertjes rent?

Wat er ook gebeurt met dat hart van je, ik hoop dat het
licht en vrij voelt, alsof het uit je gaat zweven naar de
zon toe en dan wegdrijft het universum in als het uiteindelijk ophoudt met kloppen. Je verdient nu best een
beetje geluk, Stu. Uiteraard heb je fouten gemaakt, maar

je hebt je misdrijf onder ogen gezien en je lot aanvaard,
dus in elk geval is het een moedig einde van je verhaal.
Eerlijk. En daar kun je trots op zijn.

DEEL XIV

Mijn verhaal eindigt anders, zoals je zult zien. Niet dat
ik dat kon al kon weten op 1 mei, omdat die dag zo mooi
was begonnen, alsof God een turquoise lap had gestre-
ken en die over de hemel had gespannen met een geel
rondje in het midden genaaid. Het doet pijn als ik
terugdenk aan het moment waarop ik mijn ogen sloot
om de dag in te ademen, of hoe fijn het was om te
ontbijten op de patio terwijl mijn ouders de krant lazen
en lang zaten te genieten van de pot echte koffie, zonder
veel te praten, maar ook zonder ruzie te maken over wie
het financiële katern mocht hebben. Soph draafde als
een pony over het gazon, en daar moest Dot heel erg om
lachen, en toen haakten ze bij elkaar in en galoppeerden
arm in arm totdat Dot viel. Uiteraard gaf ze Soph daar de
schuld van, maar mam rende niet meteen naar Dot toe
om een pleister op het schaafwondje te plakken. Ze zei
alleen maar dat ze voorzichtig moest zijn en ging toen
weer verder met de krant, en pap glimlachte, maar niet
om iets wat hij las.

Die avond zou ik naar het Lentefeest gaan in het park
waar ook het vreugdevuur was geweest. Tijdens het
ontbijt, de lunch en het avondeten kon ik nauwelijks
stilzitten en ik zat maar wat te friemelen om de tijd
door te komen terwijl ik wachtte op het moment dat ik
Aaron weer zou zien. We hadden ons aan ons woord

gehouden en elkaar niet meer gezien, maar natuurlijk hadden we elkaar zowat elke avond aan de telefoon gesproken, en, als je wilt dat ik heel eerlijk ben, af en toe een lief woordje gewisseld, en we vonden de hele situatie verschrikkelijk en ook heel erg fijn, als dat al kon. De bruiloft had plaatsgevonden in de laatste week van april, dus nu was het tijd om alles op te biechten, en we hadden besloten dat deze avond samen te doen. Ik trok mijn nieuwe blauwe jurkje aan terwijl ik het gesprek voor de honderdste keer repeteerde, en ik stelde me voor dat Max zei: 'Wat geeft het? Maak je niet druk', en lachte bij het reuzenrad.

Eindelijk was het tijd om te gaan, dus reed pap me de stad in naar de onder allerlei knipperende lichtjes stralende kraampjes in het park. Hij bleef staan bij een hotdogbusje. De uien lagen te sissen. De rook kolkte. Muziek van twee verschillende livebands botste met elkaar, en bij de rivier klonk het lawaai van de attracties. Ik zag Lauren naar de ingang van het park lopen, dus sprong ik uit de auto en voegde me bij de in rap tempo aangroeiende menigte, gezinnen die van links kwamen en van rechts. Een clown stond op stelten te wankelen en deelde snoep uit, en er waren belachelijke volksdansen die ik niet eens kan beschrijven, en ineens verscheen er een fanfare op straat, met allemaal marcherende zwarte schoenen en goudkleurige blaasinstrumenten, de muzikanten in fraaie uniforms gestoken met koperen knopen die zo glansden dat je je gezicht erin kon zien.

Toen ik bij het hek was, hield Lauren zich vast aan een metalen spijl terwijl ze haar schoen uittrok en met haar tenen wiebelde.

'Te klein?' vroeg ik.

'Te klein, te smal en te strak, maar o zo mooi!' antwoordde ze terwijl ze de rode hoge hak streelde. 'Kom, we gaan erin!'

Met een steek van angst liep ik met Lauren het park in. De zon ging al onder, en Stu, dat was spectaculair – stel je roomijs in een grote coupe voor met wervelend roze, oranje en geel die met elkaar versmelten om kleuren te maken die niet eens een naam hebben.

'Botsautootjes?' stelde Lauren voor, dus betaalden we om erin te mogen, maar ik had er niet echt zin in, want ik keek vooral uit naar Aaron.

En ineens kwamen de botsautootjes tot leven, en iedereen reed vooruit, maar Lauren trapte het verkeerde pedaal in, dus wij draaiden achteruit. We gingen maar rond met onze monden wijd open van het gillen. Toen we eindelijk de goede kant op gingen, kwam er opeens een jongen die met zijn autootje tegen onze achterkant botste, en daardoor knalden we met een schok naar voren, en ik vloekte zacht omdat ik had gezien dat het Max was. Gevoelens van schuld en woede kolkten in mijn maag toen hij snel achteruitreed. Waarschijnlijk gaf hij vol gas toen hij weer op ons af kwam rijden en deze keer tegen de zijkant van onze auto botste.

'Hou op!' schreeuwde Lauren terwijl onze hoofden naar voren knakten. Jack riep ook iets, want hij racete ook rond in een lichtgevend geel autootje, en Max wierp zijn hoofd in zijn nek en lachte zich suf toen Lauren alweer op het verkeerde pedaal trapte en we achteruit tegen een pilaar botsten.

Toen het was afgelopen, stapte ik op trillende benen uit het autootje en kwam Max op me af gerend. Ik zou het liefst in de andere richting zijn verdwenen, maar hij pakte me bij de arm.

'Dat was een beetje te veel, Max,' zei Lauren terwijl ze haar nek masseerde.

Hij haalde zijn schouders op, en toen, met een woeste blik in zijn ogen en zonder enige waarschuwing, botsten zijn tanden tegen mijn bovenlip. Hij rook naar wodka en uien terwijl hij aan me lebberde; anders dan dit kan ik het niet verwoorden.

'Getsie,' mompelde Lauren, en dat was precies wat ík dacht toen ik hem wegduwde.

'Ik ben iets aan het vieren!'

'Wat vier je dan?'

'Bruiloften!' riep hij uit, en hij stak zijn handen in de lucht.

Net toen Lauren tegen haar voorhoofd tikte om duidelijk te maken dat Max zwaar gestoord was, pakte de jongen van een klas hoger haar bij haar middel en sleurde haar terug naar de botsautootjes. Wankelend op haar hoge hakken stapte ze in een roze autootje, en ik keek terwijl ze rondzoefden en Jack Max een fles met een heldere vloeistof overhandigde. Max nam een grote slok en gaf de fles terug. Jack zette de fles op een bankje; hij zag er onpasselijk uit. De lichtjes van het feest schenen in het glas en daar keek ik naar omdat het zo mooi was, en

toen draaide ik mijn hoofd en zag Aaron in een spijkerbroek en op teenslippers, en hij droeg ook een wit t-shirt,
en de adem stokte in mijn keel omdat hij nóg mooier
was.

Mijn ogen gingen stralen, mijn gezicht lichtte op en
mijn stem stond op het punt ons te verraden. Gauw
schudde Aaron zijn hoofd, voordat Max het kon zien.
Ik trok een gewoon gezicht, rustig. Maar vanbinnen was
ik blij en opgewonden. Het was bijna tijd, Stu. Bijna.

'Aaron!' riep Max uit. 'Zoe, dit is mijn broer. De beste
broer ter wereld, en dat is niet gelogen. Je had hem moeten zien op de bruiloft.' Hij sprak met dubbele tong, en hij
sloeg Aaron zo hard op zijn rug dat hij bijna omviel.

'We kennen elkaar al,' mompelde Aaron, terwijl ik in-
eenkromp, van mijn gekromde tenen tot mijn prikkerige
haarwortels. 'Weet je nog?'

'Nee-ee,' reageerde Max. Toen giechelde hij heel onecht,
met zijn armen over elkaar en zijn schouders op en neer
halend. 'Tuurlijk weet ik dat nog. Met oud en nieuw. Zoe
en ik gingen...' Hij ging over op fluisteren. 'We gingen
het doen in jouw auto.' Max stak een vuist uit en een
vinger, en hij stak de een in de ander en begon te
pompen. Het zweet liep over mijn rug, uit mijn oksels,
en parelde op mijn bovenlip. Aaron keek weg toen Max'
handen een hoogtepunt bereiken, dat tussen ons drieën
de lucht bevlekte. Hij knipoogde naar me. 'Misschien
straks...' Zijn scheve lach leek gevaarlijk toen hij zijn
arm om me heen sloeg en me tegen zich aan drukte.

En toen verscheen Sandra vanuit de menigte.

'Kijk jullie twee nu eens,' zei ze, met een toegeeflijke
lach naar ons allemaal terwijl Max me op mijn wang

zoende en die nat werd van het spuug. Mijn schouder jeukte omdat ik het wilde afwrijven, maar ik liet het opdrogen, dat plakkerige rondje midden in mijn gezicht, en ik weet nog dat ik me gebrandmerkt voelde. 'Snikheet, hè?' zei Sandra, en ze wuifde zichzelf koelte toe en haar haren plakten aan haar voorhoofd. 'Hoe gaat het, Zoe?'

'Goed, dank u wel,' loog ik met gespannen stem. Aaron balde zijn vuisten en ontspande ze, steeds weer, omdat Max lokken van mijn haar tussen zijn vingers ronddraaide.

'Mijn slijmballetje.' Sandra tikte lachend op Max' schouder en straalde van trots terwijl haar jongste zoon me aankeek met een genegenheid die vooral te maken had met wodka – niet dat Sandra dat besefte.

Er was weinig zuurstof vanwege de paniek of vanwege de vochtigheidsgraad, en het was hard werken om voldoende lucht te krijgen. Boven de menigte zweefde een zilverkleurige ballon naar ons toe, en toen verscheen Fiona met een blauw koordje om haar hand gewikkeld en een fototoestel om haar hals.

'Zoe!' riep ze uit, en ze holde op me af in haar bloemetjesjurk. 'Je bent al heel lang niet meer bij ons thuis geweest,' merkte ze met een pruillip op.

'Elke keer dat ik haar vraag, heeft ze iets anders te doen,' mopperde Max.

'Je moet echt vaker komen,' zei Sandra, en ze veegde haar voorhoofd af met een papieren zakdoekje, terwijl de zon achter de horizon wegzonk en de hemel de inktblauwe kleur kreeg die voor het inktzwart komt. 'Je bent altijd welkom, hoor, meid.' Aaron beet op zijn lip, wit op rood.

'Maak een foto van ons,' zei Max, en hij porde met zijn vinger in Fiona's buik.

'Au!'

'Toe dan!' zei hij. 'Wij met z'n drietjes.' Hij trok Aaron en mij naar een rustig plekje, en ik moest tussen hen in staan. Fiona was bezig met instellen en Aarons hand kwam op mijn rug en met zijn hand kneep hij in mijn heup terwijl we elkaar met glinsterende ogen aankeken, en Stu, onze ogen stonden vol met de dingen die we niet konden zeggen en met de gevoelens die we niet zouden hebben, en ik verlangde pijnlijk naar hem: naar zijn stem, zijn geur, zijn aanraking, zijn smaak en zijn...

'LACHEN!' schreeuwde Fiona, dus plakte ik een brede lach op mijn gezicht, die verdween met de flits.

Aan de andere kant van de botsautootjes zwaaide Lauren naar me om duidelijk te maken dat ze met de jongen van een klas hoger meeging. Boven de bomen bij de rivier waren donkere wolken verschenen, en de hitte was drukkend.

'Het gaat onweren.' Sandra fronste haar wenkbrauwen en wreef over haar slapen, en ja hoor: een hoekige streep zilver verscheurde de zinderende lucht. 'Ik ga weg,' zei ze gauw. 'Jullie mogen je nat laten regenen, maar ík breng Fiona naar huis.'

'Néé!' Fiona stampte op de grond. 'Ik ben nog niet in het spookhuis geweest!'

'Jammer dan,' zei Sandra, en de eerste regendruppels vielen *pt pt pt* op de grond. Ze haalde een jasje uit haar tas en zei tegen Max en Aaron dat ze hen over een paar uur zou komen halen, en Stu, het is pijnlijk om te den-

ken aan hoe achteloos ze dat zei, alsof de broers natuurlijk om halfelf bij het hotdogbusje zouden staan te wachten. Ze haastte zich weg, zo afgeleid door de regen dat
ze haar zonen geen afscheidszoen gaf.

En toen waren we met z'n drieën.

De bliksem flitste alsof de spanning tussen ons tot een
ontploffing in de lucht leidde. Max pakte de fles wodka
die Jack op het bankje had laten staan.

'Denk je niet dat je genoeg hebt gehad?' vroeg Aaron,
terwijl Max' wangen zich opbliezen en zijn adamsappel
bewoog nadat hij weer een grote slok had genomen. Hij
smakte met zijn lippen.

'Het is om iets te vieren!' Hij hield de fles boven zijn
hoofd en strompelde door de menigte heen terwijl hij
achterom riep: 'Ik vier het huwelijk!' Aaron en ik keken
elkaar bezorgd aan, en ook al was het niet gepast, we
lachten er ook een beetje bij. 'Dat was een goed idee van
Fiona,' zei Max terwijl hij zich plotseling omdraaide. Net
op tijd waren onze lachjes verdwenen. 'Kom op, we gaan
naar het spookhuis.'

BOEM!

Een donderklap.

Mensen gilden omdat het harder ging regenen; de regen
stroomde naar beneden. Er werden paraplu's opgestoken.
Iedereen ging schuilen onder afdakjes, waar het water af
stroomde. Alleen Max rende door de hevige regen, uit-
glijdend in de modder, en hij ging achter de geslonken
rij voor het spookhuis staan. Ik volgde hem met mijn

armen tegen de regen boven mijn hoofd, en het kostte me moeite om Aaron bij te houden.

'Belachelijk!' zei ik tegen Max toen hij nog een slok wodka en nog een slok nam. 'We kunnen beter ergens naar binnen gaan.'

'Hier is het binnen,' reageerde hij, en hij wees naar het spookhuis en nam nog een paar slokken. Aaron probeerde hem de fles af te pakken, maar Max duwde hem weg, ruwer dan zijn bedoeling was, en zijn hand kwam hard neer tegen Aarons schouder.

'Rustig, Max.'

'"Rustig, Max,"' bauwde Max Aaron na, en hij nam nog een grote slok toen we voor aan de rij waren gekomen. Nadat hij de fles in zijn achterzak had gestopt, sprong hij in een wagentje en verdween onder gejammer van een geest achter de paarse klapdeurtjes.

En toen waren we met z'n tweeën.

'We kunnen het hem vanavond niet vertellen!' riep ik uit met druipnat haar, terwijl de regen maar uit de pikzwarte lucht kwam vallen. 'Hij is straalbezopen!'

'Weet ik. We wachten wel. Morgen doen we het,' zei Aaron, en onze handen raakten elkaar heel even, terwijl Max' wagentje uit een boog boven aan het spookhuis schoot. Onze handen gingen meteen uit elkaar toen Max als een waanzinnige zwaaide en verdween door de openstaande mond van een enorm spook dat op de wand van het spookhuis was geschilderd. Het was mijn beurt, dus hielp Aaron me het wagentje in. Daar ging ik, achter Max aan met Aaron achter me, door bochtige gangen, onder spinnenwebben door die mijn gezicht kietelden, langs brullende monsters en opengaande doodskisten, en de wieltjes van het wagentje klikklakten op de rails.

'Ik ben misselijk,' klaagde Max terwijl ik uit mijn wagentje stapte en de regen in kwam, huiverend, met mijn blauwe jurkje tegen mijn lijf geplakt. 'Je ziet er geweldig uit,' zei hij met wel erg dubbele tong. Zachtjes streek hij mijn natte pony van mijn voorhoofd, en toen verdween de kleur opeens uit zijn gezicht. 'Ik moet kotsen.' Hij boog zich voorover, met zijn hoofd boven een plas. Ik legde mijn hand op zijn rug. 'Niet doen,' mompelde hij. 'Ga weg. Ik wil alleen zijn.'

'Daar is een vuilnisbak,' zei ik, en ik wees ernaar.

'Ik wil alleen zijn,' zei Max nogmaals, en hij wankelde naar de bomen, terwijl Aarons wagentje uit het spookhuis kwam geracet.

Ik wees naar de bomen om Aaron duidelijk te maken waar ik naartoe ging, want ik wilde achter Max aan omdat ik bang was dat hij zou vallen. Hij liep en rende ineens weg van het feest, onvast op zijn benen.

Turend in het donker haastte ik me weg van de menigte, steeds dieper het bos in, over de zuigende modder. Ik wist niet of Aaron achter me aan kwam, maar ik kon wel Max zien, die over een boomwortel struikelde en in het gras viel.

Hij kon zich niet echt hebben bezeerd, maar hij stond ook niet op. De regen droop tussen de takken door. Het lawaai van het Lentefeest werd overstemd door het ruisen van een rivier die ik niet kon zien. Naast Max liet ik me op mijn knieën vallen.

'Ga weg,' zei hij, en tot mijn schrik besefte ik dat hij huilde. 'Ik ben iets aan het vieren, Zoe. Aan het víéren!' Zachtjes legde ik mijn hand op zijn hoofd, en daar leek hij rustiger van te worden. Langzaam draaide hij zijn hoofd en keek naar me op, en op zijn wangen vermengden zweet, modder en tranen zich met elkaar. Plotseling ging hij rechtop zitten en drukte zijn lippen op de mijne.

'Niet doen,' zei ik, en ik ging abrupt staan.

'Waarom niet?' vroeg Max moeizaam, en hij haalde zijn mouw over zijn gezicht. Toen sprong hij op om me nog eens te zoenen, en hij hield mijn armen vast. 'Doe nou niet zo, Zoe.' Ik deed mijn best om over Max' schouder te kijken, maar zag niets dan bomen met in de verte stipjes licht van het feest. Ik was dieper het bos in gegaan dan ik had gedacht.

'Ik wil niet,' zei ik, terwijl Max aan mijn hals lebberde en ik zijn adem op mijn huid voelde trillen.

'Je bent mijn vriendinnetje,' fluisterde hij, en toen werd het gevoel van schuld zo zwaar dat ik bijna door mijn knieën ging. 'Kom op...' Voordat ik hem kon tegenhouden, had hij zijn mond al op de mijne gedrukt, en eerst had hij zijn handen op mijn billen, en toen had hij ze aan mijn voorkant en liet hij ze in mijn slipje gaan.

'Hou op!' zei ik, en ik deed mijn best om los te komen. Max lachte, en hij kietelde me in mijn zij en onder mijn armen, en toen kwam hij aan mijn borsten; hij raakte ze niet hard aan, eerder een beetje zielig, maar mijn hart ging vreselijk tekeer. 'Echt, Max, ik wil niet.'

'Maar je gaat het fijn vinden,' zei hij met verleidelijke stem, en hij liet zijn handen over mijn hele lichaam gaan, terwijl ik me voorzichtig verzette en op mijn lip beet, want ik wilde hem niet kwetsen, maar Stu, hij maakte me bang, zeker toen hij aan het bandje van mijn jurkje trok terwijl ik mijn hoofd schudde. 'Wat heb je toch?' vroeg hij, en dat klonk geërgerd, en toen rukte hij allebei de schouderbandjes naar beneden. 'Je bent toch mijn vriendinnetje, of niet soms?' schreeuwde hij, en toen duwde ik hem van me af en rende weg, want ik kon er geen seconde meer tegen.

'Zoe!' riep Max, en zijn stem weerkaatste tussen de bomen terwijl ik naar het Lentefeest rende. 'Zoe! Het spijt me. We hoeven niks te doen wat jij niet wilt. Ik wil alleen maar dat je bij me bent!'

Toen ik me omdraaide, zag ik hem met zijn hoofd in zijn handen op zijn knieën gaan zitten, en ik rende verder, bang, uitgeput en kotsmisselijk van het doen alsof. Hijgend strompelde ik naar Aaron toe, die ook het bos in was gegaan.

'Hoi,' zei hij bezorgd. 'Wat is er? Zoe? Wat is er?'

'Max,' bracht ik hijgend uit, en bevend stortte ik me in zijn armen. 'Hij... Hij...'

'Hij wat?' vroeg Aaron, terwijl hij mijn gezicht omvatte en me kuste met de wanhoop die we allebei ondergingen, en heel even gaven we toe aan de kus omdat het zo pikkedonker was en wij verscholen onder de bomen stonden.

Maar toen knapte er een twijg.

Met een ruk draaiden we ons om, en we zagen Max'
hoofd terwijl hij zich het bos in stortte. Even bleven we
stokstijf staan, en toen sprongen we geschrokken bij
elkaar weg, en we riepen zijn naam en gingen achter
hem aan, en terwijl we takken uit de weg duwden en
uitgleden over het vochtige mos op de grond, klonk het
geluid van het stromende water steeds luider. Zodra er
geen bomen meer stonden, zagen we de rivier, en op het
rotsige paadje bleef ik hard hijgend staan en keek om
me heen. Max liep over het paadje; af en toe gleed hij
bijna uit en kwam hij gevaarlijk dicht bij het snel stromende water.

'MAX!' riep Aaron door de toeter die hij met zijn handen
had gevormd. 'MAX!'
    Als Max hem al hoorde, liet hij daar niets van merken.
    Geschokt wendde ik me tot Aaron. 'Hij heeft ons ge-
zien! Hij wéét het! Wat moeten we nu...'
    Maar Aaron was weer weggerend; het kostte hem
moeite om op die teenslippers te rennen, en die wierpen ook modder op, die terechtkwam op de achterkant
van zijn spijkerbroek. 'MAX!' riep hij weer. 'MAX!'

Opeens bleef Max staan; zijn aandacht werd getrokken
door een houten bankje. Brullend van woede pakte hij
een steen op, en toen drong met een misselijkmakende
schok tot me door wat hij had gezien: onze initialen, Stu,
in het hout gekrast. Met de steen hoog boven zijn hoofd
dook hij op het bankje af, en net toen hij onze initialen
wilde aanvallen, greep Aaron zijn arm beet.
    'Het spijt me,' zei Aaron. 'Het spijt me verschrikkelijk.'
    Ik spetterde door de plassen, en de zwarte rivier kolk-

te, en allebei de jongens draaiden zich om en keken me aan.

'Wat ís dit?' riep Max uit, en hij smeet de steen tegen het bankje. 'Wat is hier verdomme aan de hand?'

'We... We...' stamelde ik met mijn handen in mijn haar.

'We...' begon Aaron.

'Jullie WAT?' tierde Max, met de tranen over zijn wangen biggelend. 'Wat is er aan de hand? VERTEL OP!'

Aaron stak zijn handen op. 'Rustig nou maar,' zei hij zacht. 'Rustig. We vertellen het je allemaal als je weer nuchter bent en iedereen...'

'Jij hebt mij niks te vertellen!' bulderde Max, en hij sloeg Aarons hand weg. 'Rotzak!' Aaron liet zich op het bankje zakken. 'Jij bent alles wat ik heb,' zei Max met verstikte stem. Hij struikelde over niets en viel bijna bij Aaron op schoot. 'En jíj,' grauwde hij terwijl hij zich plotseling naar mij draaide en wankelend met zijn arm zwaaide. 'Ik vertrouwde je. Ik vond je leuk!'

'Ik vond jou ook leuk. Echt, heus... Het was niemands bedoeling dat dit zou gebeuren.' Ik deed mijn best mijn armen in een troostend gebaar om zijn middel te slaan, maar hij duwde me weg, en ik strompelde in de richting van de rivier.

'Praat niet tegen me, slettenbak!'

Aaron sprong op. 'Zulke dingen zeg je niet tegen haar.'

Met een waanzinnige lach kwam Max achter me aan. Het zwarte water kolkte een halve meter van ons vandaan. Hij pakte me bij mijn schouder en trok me naar zich toe om in mijn oor te schreeuwen: 'SLETTENBAK!'

'Hou op!' schreeuwde Aaron. 'Laat haar erbuiten!'

'Jij hebt mij niks te vertellen!' schreeuwde Max weer,

net op het moment dat er een donderklap viel. In wanhoop greep hij de bandjes van mijn blauwe jurkje, en we wankelden steeds dichter naar het water toe.

'Laat haar los!' bulderde Aaron, en toen Max me niet losliet, stormde Aaron op zijn broer af. Brullend en tierend stortten ze zich op elkaar, en ze worstelden terwijl ze glibberden in de modder.

'Jullie komen te dicht bij het water!' riep ik uit, maar ze luisterden niet, en ineens stond ik tussen hen in en deed ik een poging hen uit elkaar te krijgen, maar ze bleven elkaars kleren vasthouden en duwen en trekken, en ze schreeuwden en tierden onder de bomen, terwijl de regen bij bakken uit de lucht kwam.

'Slettebak!' tierde Max, en het spuug kwam in mijn gezicht toen hij me bij mijn haar pakte en dat woord in mijn gezicht brulde, en Stu, ik gaf hem een stevige duw, en Aaron duwde hem ook. Impulsief. Alles om hem maar te laten ophouden.

Hij gleed uit. De weg naar de hel... Zijn armen maaiden door de lucht.

Een plons toen hij in het water viel, en hij sperde geschrokken van de kou zijn mond open.

'Pak hem!' Ik gilde het uit. 'Aaron, pak hem!'

Als verlamd stond ik daar en keek naar Aaron, die op zijn buik was gaan liggen en zijn hand uitstak, maar de sterke stroom had Max in zijn greep; de stroom was snel en woest, je kon je er niet tegen verzetten. Als in slow motion zag ik Max onder water gaan, en nog eens, en nog eens; hij werd meegesleurd en Aaron scharrelde langs de oever, hijgend, schreeuwend, met uitgestoken hand.

Max kon niet bij de hand komen. De stroming was te sterk. Met moeite probeerde hij ertegenin te zwemmen; toen hield hij op met zwemmen en dreef hij langs boomwortels en een oranje reddingsboei aan de overkant van de rivier, maar daar kon niemand van ons bij. Hij ging weer onder water, steeds weer, keer op keer, en hij werd steeds zwakker, en hij kreeg water binnen als hij zich naar boven worstelde om naar adem te happen.

Nog een laatste keer stak Aaron zijn hand uit en riep hij de naam van zijn broer. Zwakjes stak Max zijn arm op, terwijl zijn lichaam de strijd opgaf.

Zijn hoofd zakte weg.

Toen zijn elleboog.

Zijn pols.

Zijn hand.

De hand, bleek, stijf, grijpend in het niets, verdween onder het zwarte water.

De eerste keer dat we logen was tegen de man van de alarmcentrale. Die had Aaron gebeld, en hoewel hij beefde en snikte, zei hij niets over de ruzie, de kus of het duwen.

'Hij gleed uit,' zei Aaron terwijl hij met zijn schokkende lijf op het bankje zat. 'Hij had gedronken.' Ik keek naar hem toen hij de verbinding verbrak, niet in staat een tegenwerping te maken omdat mijn stem niet wilde meewerken. Ik lag opgekruld langs het water, en begon mezelf te wiegen en daar kon ik niet mee ophouden, totdat zomaar ineens mijn ouders er waren en een agent een deken om me heen sloeg en Sandra aan het gillen was.

De daaropvolgende uren gingen voorbij in een waas van vragen in een grauw politiebureau waar het rook naar fotokopieerapparaten, boterhammen met iets erop, en koffie. Ik zat in een klein kamertje op een harde stoel steeds maar hetzelfde te zeggen, in de woorden die Aaron had gebruikt. Max gleed uit. Hij had gedronken. Hij gleed uit. Hij had gedronken. Op een bepaald moment moest de agent me hebben geloofd, want hij zei dat ik naar huis mocht.

Alleen was het huis geen thuis. Het was een gebouw dat ik niet herkende en daarin woonde een gezin dat aanvoelde als een verzameling onbekenden. Mijn kamer was mijn kamer niet, en mijn bed was mijn bed niet, omdat ik niet mezelf was. Ik was een ander, een onbekende die mijn ouders niet kenden. Een bedrieger. Een leugenaar. Een moordenaar. Ik lag onder mijn dekbed, dat rook naar een leven dat ik kwijt was, en ik keek naar mijn handen, geschokt knipperend met mijn ogen.

De volgende ochtend moest ik in bad. Mam liet het vollopen. Ze deed badzout in het water, want dat was goed tegen een trauma. Ik had nog nooit om tien uur 's och-

tends in bad gezeten. Het was raar. Te licht in de badkamer. De zon scheen door het raampje en stof dwar-
relde boven de wasmand. Er drupte water uit de warme
kraan, en ik stak mijn teen in de kraan maar voelde het
niet branden.

Die middag kwam mijn vader mijn kamer in. 'De moeder van die jongen heeft je gevraagd te komen, lieverd.
Ik geloof dat ze Sandra heet.'

Ik begon te tellen.

Een. Twee. Drie. Vier. Vijf.

'De hele familie van Max is er,' zei pap terwijl hij op de
rand van mijn bed ging zitten. 'Volgens mij zou het je
goeddoen als je hen zag.'

Zes. Zeven. Acht.

'Popje, luister je wel?'
  'Ja.'
  'Wat denk je?'
  'Over wat?' mompelde ik.
  Paps gezicht betrok en hij hield mijn hand vast. 'Over
naar Max' huis gaan? Als je wilt, ga ik met je mee. Mis-
schien helpt het om bij anderen te zijn.'

Negen. Tien. Elf.

'In elk geval, ik laat de beslissing aan jou over.' Pap stond
op, terwijl ik doodstil naar het plafond staarde.

Ik keek naar een buurman die het gazon maaide en zes struikjes plantte.

Ik keek naar een man die de raamkozijnen verfde en ook zijn voordeur.

Ik keek naar een hond die werd uitgelaten en terugkwam met een tak in zijn bek.

De volgende morgen kwam mam mijn kamer in en zei dat ik verhoging had. Ze zei dat mijn klieren opgezet waren, ze zei dat ik mijn mond open moest doen en keek met een zaklantaarn in mijn keel terwijl ik 'aaa' zei. Ze knipte de zaklantaarn uit en zei dat ik niet meer 'aaa' hoefde te zeggen, maar ik kon er niet mee ophouden en zei het steeds harder.

aaaaaaaaaaaaaaaaaaaaaaaaaaaaaaaaaaaaaaaaaaaaaaaaaaaaa
aaaaaaaaaaaaaaaaaaaaaaaaaaaaaaaaaaaaaaaaaaaaaaaaaaaaa
aaaaaaaaaaaaaaaaaaaaaaaaaaaaaaaaaaaaaaaaaaaaaaaaaaaaa
aaaaaaaaaaaaaaaaaaaaaaaaaaaaaaaaaaaaaaaaaaaaaaaaaaaaa
aaaaaaaaaaaaaaaaaaaaaaaaaaaaaaaaaaaaaaaaaaaaaaaaaaaaa
aaaaaaaaaaaaaaaaaaaaaaaaaaaaaaaaaaaaaaaaaaaaaaaaaaaaa

'Is Zoe gek geworden of zo?' gebaarde Dot.

Met een klap deed ik mijn mond dicht.

'Nee,' antwoordde mijn moeder. 'Ze is gewoon van streek.'

Op haar hoede keek Dot naar me. 'Ik doe dat niet als ik van streek ben.'

'Ze is heel erg van streek,' legde mam uit. 'Erger dan jij ooit bent geweest.'

'Vanwege haar vriendje?'

'Ja.'

'Ik wist niet dat ze er eentje had,' gebaarde Dot.

'Ik ook niet, lieverd. Niet echt. Maar ik weet wel dat hij haar gelukkig maakte.' Mam streelde over mijn voorhoofd, terwijl Aarons naam me op de lippen brandde. Van de warmte kleurden mijn wangen, en Stu, op dat moment had ik het liefst gehad dat mam vroeg wat er scheelde, maar ze ging gewoon met haar duim heen en weer over mijn wenkbrauw en mompelde: 'Ze straalde helemaal toen ik haar ophaalde bij de bibliotheek.'

'Waarom is hij verdronken?' vroeg Dot.

Mam wierp even een blik op mij voordat ze antwoord gaf. 'Dat weet ik niet.'

'Want als hij kon zwemmen, waarom zonk hij dan? En ik heb nog een vraag.'

'Zo is het wel genoeg.'

'Hoef ik morgen ook niet naar school?'

Er gingen in min of meer hetzelfde waas nog meer dagen voorbij. Mam bracht me eten. Pap bracht me eindeloos veel kopjes thee. Op een dag later in de week, toen Dot thuiskwam uit school, stonden er zes mokken op mijn nachtkastje, allemaal met verschillende hoeveelheden vloeistof erin. Ik tikte er met een pen tegen om muziek te maken.

'Wanneer is de begrafenis en mag ik erheen?'

Ik deed mijn ogen dicht, zodat ik haar gebaren niet hoefde te zien.

Met haar mollige vingertjes trok ze mijn oogleden op. 'Ik vroeg wanneer de begrafenis was en of ik erheen mocht, en ik wil ook weten of er belangrijke mensen achter de kist aan lopen, en hoor ik daarbij of moet ik gewoon in de kerk wachten?'

Pap klopte zachtjes op de deur. 'Dot, het eten is klaar,' gebaarde hij.

'Ik heb geen honger.'

'Het staat op tafel.'

'Ik ben te erg van streek om die jongen om iets te eten. Mijn juf zegt dat ik rouw heb.'

'Als je aan het rouwen bent, kan ik misschien beter tegen je moeder zeggen dat het je bedtijd is.'

Dot sperde haar ogen wijd open en rende in volle vaart mijn kamer uit.

Pap slaakte een zucht. 'Het is een lollige meid.' Het matras kraakte toen hij ging zitten. 'Ik was daarnet aan de telefoon, schat. Sandra heeft weer gebeld. Ze wilde graag dat ik je vertelde dat de begrafenis vrijdag is.'

Ik draaide mijn gezicht weg en staarde naar de muur. Pap legde zijn hand op mijn haar en zo bleven we een hele tijd zwijgen, en ik zou graag willen dat hij nu hier was om over mijn hoofd te strijken en te zeggen dat het allemaal goed komt en dat ik sterk moet zijn, want dat deze gevoelens zullen slijten. Ik zou graag willen dat ze nu weg waren gesleten, Stu. Ik ben er klaar voor ze te laten verdwijnen en ik weet dat jij net als ik moe bent van het verdriet, de angst, het treuren, de schuldge- voelens en alle andere gevoelens die niet eens een naam hebben.

Ik moet nog één brief schrijven voordat we er allebei mee kunnen ophouden. Nog eentje over de begrafenis en de wake, en dat ik van Sandra te horen kreeg dat Aaron zomaar ineens naar Zuid-Amerika is gegaan zonder de moeite te nemen afscheid van mij te nemen. Want dat wordt de laatste brief; misschien moeten we iets doen om dat te vieren. Misschien een galgenmaal, dat voor mij zou bestaan uit biefstuk met frieten, en dat zouden we samen kunnen eten, jij aan de ene kant van de oceaan en ik aan de andere, en de oceaan zou een glinsterend blauw tafelkleed tussen ons zijn. Er zouden kaarsen flakkeren in de hemel, en ik zou mijn verhaal voorgoed afmaken. Jij zou tevreden zijn en ik content, dus zouden we allebei de kaarsen uitblazen. Jij, ik, het schuurtje, de cel, onze verhalen, onze geheimen – alles zou verdwijnen, het zou in de duisternis als rook blijven hangen totdat het in niets veranderde.

Heel veel liefs,
Zoe xxx

Fictiepad 1
Bath

6 mei

Liefste Stu,

Zoals beloofd kwam ik terug. Ik zou niet willen dat je
denkt dat ik niet ben teruggekomen, zoals afgesproken.
Heus waar, ik had je alles verteld, precies zoals we van
plan waren. Ik had geschreven dat Aarons gezicht
vreselijk betrok toen hij aan het begin van de processie
de kist optilde. Ik had verteld dat zijn handen trilden
onder het gewicht van zijn broer, en de *Morning* echt
had broken in duizenden kleine stukjes die niet meer
gelijmd konden worden. Ik had gezegd dat ik aan ieder
familielid werd voorgesteld als Max' vriendinnetje, en
dat Aaron me niet één keer had aangekeken tijdens de
wake, en dat Soph een flauwe grap had gemaakt over
dat het niet gepast is voor een wake om een wake te
heten als de eregast niet eens moeite doet zijn ogen
te openen.

Ik had uitgelegd dat Lauren later die dag langskwam en
me de rode schoenen met torenhoge hakken gaf om me

op te vrolijken, en dat ze alle kaarten naast mijn bed had doorgenomen. Ik had verteld dat ze erg moest lachen om eentje waarop stond: *Door God weggenomen omdat hij te goed was voor deze wereld*, en dat ze had gemopperd: 'Te goed voor deze wereld? Als Max in de hemel is, doet hij vast zijn best een engel in zijn bed te krijgen.'

Dus ja, ik had je zo'n beetje alles verteld, en toen deed ik de brief in de envelop, die plakte ik dicht en ik wilde er de volgende dag mee naar het postkantoor, zodat je hem voor 1 mei zou krijgen, want dat is altijd mijn opzet geweest.

De volgende dag deed ik de envelop in mijn zak en ging mam vertellen dat ik even uit ging. Ze zat in de woonkamer thee te drinken, even pauze van alle klussen, terwijl de regen tegen de ramen kletterde.

'Ga je uit in dit noodweer?'

'Even een luchtje scheppen,' mompelde ik, me erg bewust van de brief in de zak van mijn spijkerbroek. Ik geeuwde omdat het laat was geworden toen ik in het schuurtje aan het schrijven was.

'Gaat het wel, Zoe?' vroeg ze opeens, en Stu, door de manier waarop ze dat vroeg, kromp mijn maag ineen.

'Ja hoor,' antwoordde ik, en ik deed mijn best te lachen, terwijl de brief in mijn zak ineens dubbel zo zwaar leek te worden.

Dot stormde de woonkamer in, zwaaiend met de Amerikaanse vlag, want ze is de koninginnenfase ontgroeid. Ze heeft nu besloten om de eerste Engelse president van Amerika te worden, en ze wil wetten maken over geen oorlog meer en gratis bananenijs voor iedereen. Ze klom op de pianokruk en stond daar met haar hand op haar hart alsof ze naar het Amerikaanse volkslied luisterde.

Terwijl mam naar haar keek, deed ze haar mond open om iets te zeggen, maar ze bedacht zich, aarzelde een poosje en zei het toen toch maar: 'Ik moet je iets vertellen, Zoe.'

'Maar ik sta op het punt om uit te gaan...'

'Het is mijn schuld.'

'Wat is jouw schuld?'

Mam gebaarde naar Dot, die met de vlag heen en weer zwaaide. 'Haar gehoor.'

'Is het jouw schuld dat ze doof is? Maar... Ik dacht... Zo is ze toch geboren? Dat hebben pap en jij altijd gezegd.'

Met haar blik op haar knieën gericht schudde mam haar hoofd. 'Het was een ongelukje dat ik zwanger van haar werd.'

'Mám, dat wil ik helemaal niet weten!'

'Ik wilde haar niet,' ging mam verder zonder me aan te kijken of om adem te halen. 'Ik was gelukkig met twee dochters, maar je vader haalde me over de zwangerschap niet te laten afbreken. En je opa trouwens ook.' Ik ging aan haar voeten zitten. 'Pap had hem in vertrouwen genomen en verteld dat ik het kind wilde laten weghalen.'

'Abortus?'

Mam legde haar vinger op haar lippen en bloosde, ook al kon Dot toch niets horen.

'Dat viel niet goed, want opa was gelovig. Samen bewerkten ze me. Je oma was nog maar pas overleden, en ze zeiden allebei dat het fijn zou zijn om nieuw leven in de familie te hebben. Een baby. Ze zetten me echt onder druk.'

'Is er daarom... Ik bedoel, in je sieradendoos met alle babydingen van Soph en mij ligt niks van Dot.'

Verdrietig haalde mam haar schouders op, en ze omklemde haar mok thee. 'Ik deed echt moeite een band met haar te krijgen. Maar om heel eerlijk te zijn accepteerde ik haar niet werkelijk. Ik popelde om weer aan het werk te gaan.' Dot sprong met de als een cape wapperende vlag van de pianokruk af. 'Toen ze een paar maanden oud was, werd ze op een dag met verhoging wakker. Dat vond ik vervelend, omdat ik een belangrijke vergadering had, en ik moest een presentatie houden voor een nieuwe cliënt. Dus hield ik mezelf voor dat het niet zorgelijk was. Dat het niets ernstigs was.' Haar stem was fluisterzacht geworden, en ik pakte haar hand terwijl ze moeizaam slikte. 'Ik liet haar achter met de oppas, en toen ik op kantoor was, zette ik mijn mobieltje uit, zodat ik me beter kon concentreren. Mijn secretaresse moest me vertellen dat ze naar het ziekenhuis was gebracht. Weet je dat nog?'

Ik knikte langzaam. 'Een beetje. Ik herinner me een bedje. Een boel slangetjes. Ik wist niet wat haar scheelde. Dat heb je me nooit verteld.'

Mam bracht de mok naar haar lippen, maar dronk er geen thee uit. 'Meningitis. Hersenvliesontsteking. De doctoren wisten haar te redden, maar aan de gehoorschade viel niets te doen.'

Dot rende met wapperende vlag de kamer uit. Allebei keken we haar na.

'Een hele tijd gaf ik mezelf de schuld. Echt heel lang. Opa gaf me ook de schuld. Dat zei hij toen in het vuur van het moment. Hij beschuldigde me ervan een slechte

moeder te zijn. Dat ik ten eerste Dot niet had gewild, en
dat ik ten tweede haar aan haar lot had overgelaten toen
ze ziek was. Ik kon het hem niet vergeven, hoewel ik
uiteraard niet de pest had aan hém.' Ze keek me strak
aan, en Stu, ik moest blozen onder die intense blik.
'Zulke schuldgevoelens... Daar gaat een mens aan on-
derdoor. Je moet een manier bedenken om het los te
laten.' Ze sperde haar ogen wijder open en keek betekenisvol door het raam naar het schuurtje, en ineens
moest ik denken aan de muts en de sjaal, en aan de
tuinstoel en de deken. 'Wat het ook is, je moet het
loslaten. Dat is moeilijk, Zoe. Maar je moet het jezelf
vergeven.'

Toen ik opstond, richtte mam haar aandacht weer op de
thee, maar toen ik in de gang was, ging ik niet naar de
voordeur. Ik liep de keuken in. Langzaam haalde ik de
laatste brief uit mijn zak – einde verhaal – en gooide
hem in de vuilnisbak.

Deze brief is een beetje anders, Stu. Ten eerste schrijf ik
hem niet in het schuurtje. Ik zit aan mijn bureautje in
mijn kamer, en het is midden op de dag en niet midden
in de nacht. Ik weet dat je hem nooit zult lezen, ik weet
dat je dat nu niet kunt, maar ik wilde toch iets met je
delen. Wie weet bestaat er toch zoiets als geesten en
zweef je doorzichtig rond, kijk je over mijn schouder om
uit te vinden wat er is gebeurd tijdens de herdenkingsdienst op 1 mei.

Eindelijk had ik iets om voor te lezen, iets wat perfect
was en dat ik op het laatste moment had gevonden. De

hele dag ijsbeerde ik door mijn kamer terwijl ik het oefende, en me afvroeg of Aaron er zou zijn of dat hij nog in Zuid-Amerika was en op het strand zat te denken aan zijn moeder, Max, de bomen, de regen en de verdwijnende hand. Sandra had verteld dat hij zijn best zou doen om te komen, maar dat ze er weinig hoop op had, en die had ik ook niet.

'Het is een lange reis,' had ze een paar dagen eerder gezegd. 'En ook een dure.'

Natuurlijk was Aaron niet het enige aan wie ik die dag dacht. Jij was er ook Stu, in je cel. Je was aan het wachten. En je wilde dat het zou zijn afgelopen. Je was er klaar voor. Je had het aanvaard. Je was moedig. Ik wist dat de executie zou plaatsvinden om zes uur 's middags in Texas, wanneer het in Engeland middernacht zou zijn. In York, als je het je soms afvraagt. En het is Fulstone Avenue, niet Fictiepad. Het is nu vast niet meer nodig dat geheim te houden.

De herdenkingsdienst zou om zes uur beginnen. Ik doodde de tijd door met Dot en Soph Amerikaanse wetten te verzinnen, en Stu, het zal je genoegen doen te weten dat we de doodstraf hebben afgeschaft en gevangenissen hebben verbeterd door die te versieren met Kerstmis, de bewakers hun pizza te laten delen, en grote ramen te laten inzetten, waardoor je de hele zon kunt zien.

'Gaat het, lieverd?' vroeg pap toen ik eindelijk in een zwart jurkje beneden kwam.

'Natuurlijk niet,' zei mam. 'Maar het komt wel goed.' Ze had een strijdlustige blik in haar ogen, en dat gaf me kracht, terwijl Dot ineens uit de garderobekast sprong. Ik kon haar gezicht nauwelijks zien onder de zwarte hoed.

'Je hoeft niet per se elk zwart kledingstuk te dragen dat je hebt,' gebaarde pap nadat hij de voordeur had geopend.

'Maar vorig jaar mocht ik niet naar de begrafenis,' reageerde Dot terwijl ze haar zwarte rokje met haar in zwarte handschoenen gestoken handen gladstreek. 'Nu maak ik het goed.'

'Doe in elk geval die sjaal af,' gebaarde mam.

'En het ooglapje,' voegde Soph eraan toe, en ze trok het van Dots gezicht af.

Toen we bij de school kwamen, was het overvol in de hal. Kapstokken bezweken bijna onder het gewicht van alle zwarte jassen. Gezichten zagen bleek boven al dat zwart. Op het mededelingenbord waren foto's van Max geprikt, met in het midden de foto van ons drietjes die op het Lentefeest was gemaakt. Als je goed keek, kon je het zien. Ik stond dan wel tussen de twee broers, maar mijn lichaam was een beetje naar Aaron gedraaid, en zijn knokkels waren wit op mijn heup.

Lauren kwam er ineens bij, met helderroze lippen, een plotselinge plek van kleur in al dat donkere.

'Hoe is het?' vroeg ze.

'Niet best.'

'Met mij ook niet,' mopperde ze. 'Vijftien pond! De begrafenis was gratis.'

Een dame in een lang zwart vest stortte zich als een kraai op ons, met in haar hand een papieren zakdoekje, hoewel ze droge ogen had.

'Jij bent Max' vriendinnetje toch?' vroeg ze met trillende stem.

Ik wilde net bevestigend knikken, maar Lauren bemoeide zich ermee. 'Nee. Max is dood. Zij heet Alice. Alice Jones,' zei ze, omdat ik eigenlijk zo heet.

De dame keek geschokt en vloog vervolgens gauw weg om haar plaats aan tafel te gaan zoeken. Er waren heel veel tafels in de aula, en op het toneel vooraan stond een microfoon. Mijn hart ging tekeer toen ik die zag, en met klamme hand zocht ik in mijn zak naar mijn tekst.

Het was bijna tijd. Mijn mond was droog toen ik de aula in liep, en toen zag ik hem.

Je weet wel wie, Stu.

Hij stond in het midden van de ruimte alsof hij nooit weg was geweest, en ik dronk hem in met mijn ogen, alsof die al maanden verdorst waren. Zijn haar was langer en hij was gebruind, maar zijn lach was dezelfde. Ondanks alles speelde die lach om zijn lippen toen ik mijn hand opstak om te zwaaien.

'Hij is toch gekomen,' zei Sandra in mijn oor, waar ik erg van schrok. 'Vanochtend was hij er, als verrassing.'

Ik zweefde, of vloog, verder de aula in, helemaal naar voren het toneel op, en ik ging zitten op een stoel helemaal aan het eind van de hoofdtafel. Aaron kwam ook het toneel op en ging aan de andere kant van de tafel zitten, waar hij zijn mes en vork precies goed legde.

Er klonk een piepend geluid uit de microfoon. Sandra deinsde terug met haar aantekeningen in de hand. Even wachtte ze. Toen ging ze er weer achter staan. Ze zei dat het geweldig was dat we hier allemaal waren om Max' leven te vieren. Aaron keek naar zijn lepel. Ze zei dat het voor ons allemaal een moeilijk jaar was geweest. Ik keek naar mijn lepel. Ze zei dat Max er niet meer was, maar dat hij niet was vergeten, dat hij een geweldige zoon was geweest, een fantastische broer, een vriendje uit duizenden – en toen keek ik naar Aaron en hij keek naar mij, en Stu, het verdriet dat ik diep vanbinnen voelde stond op zijn gezicht te lezen.

'En nu wil ik graag Max' vriendinnetje vragen iets te zeggen,' zei Sandra. Het publiek wisselde meelevende blikken. Alle ogen in de ruimte stonden op mij gericht, behalve de twee ogen die me konden schelen.

Aaron keek naar zijn servet.

Ik bleef op mijn stoel zitten.

Fiona gaf me een por.

Ik bleef nog steeds op mijn stoel zitten.

'Jij bent,' fluisterde Sandra.

Mijn stoel ging met een schrapend geluid achteruit. Mijn hakken klikklakten over de vloer. Langzaam, heel langzaam, haalde ik het gedicht uit mijn zak. Eigenlijk was het jouw gedicht, Stu, het gedicht dat je in de laatste week van je leven had geschreven.

Bevrijding.

Mijn maag zat in de knoop, en ik wist dat jouw maag ergens in Texas ook in de knoop zat. Ik kwam bij de microfoon en vouwde het papier uit. Het papier met jouw
woorden. De knoop in mijn maag werd aangetrokken, en
Stu, de band tussen ons voelde strak en pijnlijk, maar het
was ook iets om me aan vast te houden, een stevig koord.

Klaar.
Aanvaarding.
Moed.

Toen ik begon te lezen, was mijn stem verrassend rustig.
Alles kwam er duidelijk uit. Ik rechtte mijn rug, ik sprak
iets harder, en ik zegde het gedicht niet op voor Max,
Sandra of wie dan ook die daar was. Zelfs niet voor
Aaron. Ik zegde het op voor jou en ik zegde het op voor
mij, voor onze verhalen en onze fouten, en voor jouw
einde en misschien zelfs voor mijn begin.

De herdenkingsdienst was een succes, ook al waren de
wentelteefjes koud. En toen ik de school uit wilde gaan,
drong iedereen om me heen en zei dat ik zo geweldig
had voorgelezen.

'Ik vóélde Max,' zei iemand, en die zette een vinger op
zijn borst. 'Hier.'

'Zag je het licht even flikkeren toen ze klaar was met
het gedicht? Dat was híj.'

'Tijdens het eerste couplet hoorde ik de radiator kreu-
nen. Dat was hij zeker ook.'

286

Mam overhandigde me mijn jas en bracht me naar buiten, weg van al die mensen, waar ik beter adem kon halen. Voordat ik bij de auto kwam, waar mijn vader en zusjes al in zaten te wachten, voelde ik een hand op de mijne. Ik hoefde me niet om te draaien om te weten van wie die hand was.

'Wil je hier weg, Vogelmeisje?'

Ik zei tegen mam dat ik naar Lauren ging. Ik weet niet of ze me geloofde, maar ze stelde geen vragen; ze omhelsde me alleen even en wees Dot terecht omdat ze zo heftig met de Amerikaanse vlag zwaaide dat ze bijna een bejaarde een oog had uitgestoken.

DOR1S leek te snorren toen Aaron de motor startte, alsof ze blij was dat we er weer waren. We zeiden niets, we reden alleen maar de stad uit en verder, onderweg naar helemaal niets, en toen we tussen de bomen buiten de stad een perfect plekje vonden, stopten we en keken naar elkaar. Zonder iets te zeggen wisten we dat er niets kon gebeuren, maar Aaron spreidde zijn jas uit op het gras en we zaten naast elkaar te kijken naar de ondergaande zon. Er doken zwaluwen door de rode lucht, terug van hun avontuur, en we hielden elkaar vast onder de ketchupwolken terwijl we wensten dat de tijd even zou ophouden en de wereld ons een poosje zou vergeten.

Veel meer valt er niet te zeggen. Aaron zette me af bij het Chinese afhaalrestaurant en onze tranen waren groen in het schijnsel van de smaragdgroene draak, die brulde in een stil protest.

'Vaarwel, Vogelmeisje,' fluisterde hij, met de nadruk op het eerste woord.

'Vaarwel,' zei ik, want het zou een leven zonder hem worden.

Ik ging niet rechtstreeks naar huis. Ik ging naar de rivier, voor het eerst sinds Max' dood. De maan deed het water glinsteren terwijl ik met mijn vingers over de initialen ging die in het hout waren gekerfd:

MM + AJ

14 FEB

Ik pakte een steen en knielde bij het bankje, terwijl jij ergens aan de andere kant van de wereld voor de laatste keer ging liggen. Ergens sloeg een klok middernacht, en ik begon mijn initialen van het bankje te schrapen. Dat deed ik niet met veel spierkracht, of woedend of in tranen. Het ging heel rustig. Bijna zachtjes. Maar Stu, het was fijn om ze te zien vervagen.

Je

ALICE JONES

In een cafeetje in Zuid-Amerika
11 februari

Vogelmeisje,

Geef de papegaai maar de schuld van deze brief.
Althans, ik denk dat het een papegaai is. Omdat ik geen
expert op vogelgebied ben, is het moeilijk te zeggen. Als
je hier was, zou je op jouw eigen, speciale manier gaan
lachen en zeggen: 'Papegaai? Maar Aaron, het is een...'

Wauw.

Ik beschik over zo weinig ornithologische kennis dat ik
niet eens de naam van een andere vogel kan bedenken
die vleugels in alle kleuren heeft en die in een kooi kan
worden gehouden ter vermaak van de klanten. Maar
niet ter vermaak van deze klant. O nee. Deze klant kan
niet meer kijken naar een vogel achter tralies zonder te
denken aan een bepaald meisje dat erg houdt van het
geluid van vrijheid.

Ik ben in een plaatsje in Bolivia dat Rurrenabaque heet,
en daar drink ik iets. Misschien stel je je voor dat ik bier
drink uit een knoestig vat in een rommelige tent aan
een uitgestrekt, goudkleurig strand, omringd door de
plaatselijke bevolking. Nou, laat ik je maar meteen uit
de droom helpen. Ik zit op een ordinaire plastic stoel
achter een ordinair plastic tafeltje aan een ordinair
drukke straat, en twee dronken Engelsen doen een
wedstrijd wie het verst het alfabet kan boeren. Een

echte sport! Meneer Stoppels is bij de F gekomen en meneer Kaal bij de N. De N! In één grote boer! Geen wonder dat ze zo hard juichen.

Terwijl ik naar hen kijk, zou ik echt heel graag weer in York willen zijn. Zo ging het ook in Ecuador, of waar ik ook was. Zelfs toen ik door een afgelegen deel van de Andes trok, was alles vertrouwd. Neem die familie nou bij wie ik een paar dagen mocht blijven. Midden tussen de bergen liep ik hun hut in, en eerst dacht ik dat ze anders waren. Ze droegen kleding die ik nooit eerder had gezien, en ze spraken een heel eigen taal, geen Spaans. Er was geen internet, zelfs geen elektriciteit, dus geen mogelijkheid om te weten wat er allemaal in de wereld gebeurde, en dat vond ik wel best.

Mijn slaapplaats bestond uit een hoop lappen in een hoek van een tochtige kamer, en toen ik mijn rugzak neerzette en uit het raam keek, zag ik een vrouw met blote handen een kip ombrengen. Dat had ze al honderden keren gedaan, dat kon ik wel zien; ze hield de kip onderste-boven en draaide die de nek om terwijl ze lachte naar een peuter die naast haar met een steen speelde. Het is natuurlijk mogelijk dat kippen geen vogels zijn, zoals spinnen geen insecten zijn, maar hoe dan ook, ik durf te wedden dat je ontzet zou zijn geweest. Dat was ik ook, begrijp me niet verkeerd, maar ik was ook blij dat ik zo van streek was. Dit was iets wat ik nog nooit had ervaren, en mijn mond viel dan ook echt open. Ik voelde me mijlenver van huis. Van mijn moeder. Van Max. Van jou. Je verbleekte, en dat had ik net nodig, omdat de herinnering aan jou zo ontzettend pijnlijk was.

Maar toen trok de peuter met de roodste wangen die ik ooit heb gezien zich op aan de rokken van zijn moeder. Hij stond een beetje onvast op zijn mollige beentjes. Zijn moeder liet de kip vallen en hurkte bij het kind; ze nam zijn handjes in de hare, schuifelde achteruit en hielp de peuter te lopen. Zij lachte, het kind lachte, en toen verscheen de vader en die lachte ook en zei blij iets tegen zijn vrouw. Uiteraard begreep ik er geen woord van, maar ik begreep wel wat ze bedoelden.

Kijk hem nou, ongelooflijk, toch? O, pas op... Wat ben je toch een knap kind!

Het kind bereikte wankelend de armen van zijn moeder, en die drukte het tegen zich aan en de vader gaf hun allebei een zoen op hun hoofd voordat hij weer naar binnen ging, en ik had buikpijn omdat ik teleurgesteld was dat het er zo vertrouwd uit had gezien. Mensen, allemaal hetzelfde. Er is niet aan te ontkomen. Het maakt niet uit of je een kale Engelsman bent die het alfabet boert, of een vrouw die kippen doodt in de Andes. Het maakt niet uit welke taal je spreekt of wat voor kleren je draagt. Sommige dingen veranderen niet. Familie. Vrienden. Geliefden. Ze zijn allemaal hetzelfde, in elk land op elk continent van de wereld.

Ik wil dat je je plaats tussen hen inneemt, Vogelmeisje. Jij, het geestdriftigste, levendigste, mooiste mens dat ik ken, het meisje dat over Bazzelbeesten schrijft en geluk maakt van croissantjes, verdient het om te leven. De dag waarop ik naar Zuid-Amerika zou vertrekken, ging ik naar de bibliotheek om je nog even te zien. Wie weet wat ik tegen je zou zeggen, maar toen ik er was en je boeken op de plank zag zetten, besloot ik je aandacht niet te trekken. Je stond met je rug naar me toe, en ik kon aan je zien dat je van streek was. Dat was wel duidelijk door je manier van bewegen; je tilde de boeken op alsof ze zwaar waren en je hield vaak even op, met een hand in je zij, en aan je schouders zag ik dat je zuchtte. Zo heb ik wel honderden keren gezucht na die avond bij de rivier. Ik wist hoe het voelde. Je hart zwaar van verdriet. De knagende schuldgevoelens. De wanhopige wens je te verschuilen voor nieuwsgierige blikken, om alleen te zijn. Toen een mevrouw naar je toe kwam en om een bepaalde titel vroeg, lachte je niet; je zei nauwelijks iets en wees met een slappe vinger naar boven, naar de wenteltrap. Ik rende bijna naar je toe om je vinger te pakken, om die stevig te laten zijn, om je in de ogen te kijken en te zeggen dat je moest vergeten wat er was gebeurd en te gaan leven.

Dat deed ik dus niet. Met jou praten zou alles erger hebben gemaakt, het zou je hebben herinnerd aan dingen die je dolgraag zou willen vergeten, en bovendien wist ik dat als ik te dichtbij kwam, ik het niet zou redden, dat ik je dan zou willen vasthouden om het verdriet weg te nemen en je te vertellen dat ik van je hou, want ik hou van je, Alice, heel veel. Dus fluisterde ik maar een afscheidsgroet en draaide me om, en de vijf stappen door de draaideur waren bijna onmogelijk te zetten. Toen ik bij de plek kwam waar we elkaar in de regen hadden gekust, bleef ik daar een hele poos staan en herinnerde me dat jouw lippen op de mijne hadden gebrand, en dat het heel verkeerd was geweest, maar dat het heel goed had gevoeld, en toen verdween ik.

Ik hoef niet te zeggen dat ik je deze brief nooit ga sturen. Dat zou niet eerlijk zijn, en ik zou heel bang zijn dat iemand anders dit leest en achterhaalt wat er tussen ons drietjes is voorgevallen. Als deze brief af is, verscheur ik hem en gooi de stukjes weg, net zoals ik met alles heb gedaan. En wanneer ik terug ben in Engeland en ik je weer zie, wanneer dat ook is, dan zeg ik niets wat het voor jou onmogelijk zou maken om verder te gaan. Ik zal je niet vertellen hoeveel ik van je hou, of hoe bang ik ben om zonder jou te zijn, of dat ik me moet verschuilen voor iedereen omdat niemand ooit de vergelijking met jou zal kunnen doorstaan... Ik zal je gewoon laten gaan. Ware liefde gaat per slot om opoffering, en als ik wil dat jij vrij bent van de herinnering aan Max, moet je ook vrij van mij zijn.

Meneer Stoppels en meneer Kaal zijn weggegaan. Het wordt donker, er is minder verkeer, en ik ben alleen met de papegaai die opgesloten zit in zijn kooi. Zo moet jij niet leven, Vogelmeisje. Niet vanwege mij. Spreid je krachtige vleugels. Vlieg.

xxx

1 mei

Hoi dagboek, want dat ben je. Ik ben Dot en ik hou van sjokkela en konijnen maar niet van vieze maajs en blafhonden. Ik hoop dat je de glittertjes voorop mooi vint, die heb ik er met lijm en spuug op geplakt. De lijm was droog omdat Soph die had gebruikt voor haar franse huiswerk. Ik weet het franse woord voor lijm niet, maar anders zou ik het hier sgrijven .... Als ik op de grote sgool zit weet ik het wel en dan sgrijf ik het op de puntjes. En dan lijk ik heel knap, als iemant mijn dagboek leest, wat ze eigenlijk niet zouden moeten doen want een dagboek is privee dus wegwezen, nieuwsgierige aagjes!

Ik weet presies hoe de grote sgool eruitziet en dat is helemaal niet eng. Vandaag heb ik de aula gezien en de gang en honderden misgien wel miljoen tieners. Het was weer een begrafenis voor de jongen die verdronken is. Toen mam dat vertelde zei ik dat het hebberig was want zelfs beroemde mensen krijgen maar één begrafenis. Op de vorige begrafenis moest ik boterhammen met tonijn eten bij de buren omdat ik te klein was om een dooie jongen te zien. Ik vint vis vies dus gaf ik mijn boterham aan Lojd en Webber maar ik had er eerst zelf vier hapjes van moeten nemen.

Pap en mam bleven heel lang weg. Toen ze terug waren, zei Soph dat de doodskist open was zodat je de dooie jongen met zijn longen vol water kon zien. Ik was jaloers maar pap gebaarde dat het onzin was dus lagte ik Soph uit en toen zei ze dat ik naar vis stonk.

Deze keer wilde ik niet naar vis stinken en toen zei mam dat ik me geen zorgen hoefde te maken en gewoon mee kon naar de dienst. Omdat ik rouw heb moest ik heel veel zwart zwart zwart aan, ook een zwarte onderbroek en zwarte darmen, die verfde ik zwart in mijn fantasie. Een zwart hart en zwart bloed dat rond mijn zwarte botten spoelde en ik trok net zoon gezigt als Alice. Dat is al wel duizend dagen verdrietig omdat de jongen zonder vleugeltjes ging zwemmen. Vanogtend stonden er tranen in haar ogen dus probeerde ik haar te laten laggen. Ik gebaarde dat ik de president van de wereld was en ook van het heelal, maar ze gebaarde niks trug. Toen gebaarde ik dat ik een wet had gemaakt dat bananenijs gratis was, maar ze gebaarde nog steeds niks trug. Ik gebaarde dat sjokkela ook gratis was. En toen ze nog steeds niks truggebaarde, gebaarde ik dat zelfs piza gratis was, en toen bewoog ze haar handen. Ze gebaarde: 'Gratis piza voor gevangenen en ook grote ramen zodat ze de warme stralen van de zon kunnen voelen.' En toen zei ik: 'Okee misgien een punt maar dan zonder extra veel erop, alleen maar maajs.'

Ik prikte in haar lippen om te kijken of ze nog wel levend waren. Toen trok ik haar monthoeken op om een lag te maken, maar haar mont was te stijf. Ik deed een ooglapje voor om er als een piraat uit te zien, maar ze moest nog steeds niet laggen dus toen stapten we in de oto met onze zwarte rouw en ook met mijn vlag waar je heel goed mee kunt zwaajen.

Er was geen koffie in de aula maar wel heel veel fotoos. Toen Alice er eentje van de kermis zag wert ze helemaal wit omdat ze rollerkoosters niet leuk vint. Ik vint rollerkoosters wel leuk maar het spookhuis is het leukst en ik ben nooit bang behalve als er een zombie in is. Even later werd Alice een zombie met een wijt open mont en haar armen hangent langs haar zij. 'Zombie zombie zombie,' gebaarde ik maar ze bleef maar staren naar een jongen met bruine ogen.

Ergens verder was een toneel met een mikrofoon erop. Mam pakte me bij mijn pols. 'Niet daarop,' gebaarde ze toen ik het trappetje op klom. 'Hier beneden.' Ze wees naar een stoel vooraan dus daar ging ik op zitten en slingerde twaalf keer met mijn benen omdat twaalf mijn lievelingsgetal is. Twaalf is middernagt wanneer er magie gebeurt en twaalf is een dozijn eieren om kapot te slaan en twaalf keer is ook hoe vaak Alice naar de jongen keek terwijl hij zijn mes regt legde en zijn vork regt legde en zijn lepel regt legde op de tafel. Ik maakte een grote D van de mijne. D voor Dot en D voor Dood, al was er helaas geen doodskist. Ik vroeg: 'Wie is dat?' en mam zei: 'Niemant', dus toen vroeg ik: 'waarom mag Niemant op het toneel zitten en moet ik hier beneden zitten?'

De dienst begon. Iedereen wagte op Alice, en we wagten maar terwijl zij op haar stoel leek geplakt met lijm of spuug of angst als dat tenminste plakt. Langzaam stont ze op, op bibberbenen die ik in mijn fantasie als spaggetti-slierten zag. In haar handen had ze een trillent stuk papier en ze was heel dun met bottige sgouders en ellebogen zo spits dat je er blauwe plekken mee kon stoten. Alice haalde diep adem. Mam kneep een papieren zakdoekje fijn. Pap kneep in zijn stoel. Alice keek naar het papier en Soph kneep haar benen tegen mekaar dus kneep ik in mijn glas en we mogten pas loslaten toen Alice ging voorlezen.

Ze las een heleboel voor. Haar benen bibberden niet meer en ze had er weer botten in die er niet eens zwart uitzagen. Ze waren bleek en sterk en het papier trilde niet. Mam zat te knikken en pap zat te knikken maar ik snapte Alice' lippen niet. De jongen keek naar haar mont alsof hij ook doof was en toen kwam het eten en dagboek, je raat nooit wat het was.

TONIJN.

Natuurlijk at ik dat niet maar Soph propte het naar binnen dus gebaarde ik dat ze naar vis stonk, lekker puh.

Ze keek geërgert dus toen stonden we kiet dus gaf ik als een gunst het zout aan haar door. Het toetje was heel lekker met vanieljevla dus geel en toen kwam er een man die zei dat het tijd was om op te stappen. De dove jongen hoorde dat niet. Hij bleef waar hij was en sgraapte zijn kommetje uit met zijn lepel ook al was het al leeg. Alice stont op en toen hielt de jongen op met sgrapen. Ze ging het trappetje af en bleef toen zomaar staan dus rende ik naar haar toe om haar te helpen en de jongen liet zijn lepel vallen en dat was stom.

'Je bent beroemt,' zei ik omdat iedereen om Alice heen ging staan en met hun vingers haar elleboog en sgouder aanraakten en ook haar gezigt. 'Daar gaat ze niet van laggen,' gebaarde ik. 'Dat heb ik al geprobeert.' Niemand begreep het dus maakte ik in mijn fantasie een beveiligingsmeneer van mezelf. Ik was heel groot en lang met een snor en sgerpe tanden maar mam kwam voordat ik in vingers kon bijten.

Mam sloeg haar arm om Alice heen dus haakte ik in bij Soph en Soph haakte in bij pap. We waren een grote slang, heel sterk, en we drongen ons door de menigte heen. Buiten sgeen de zon en was de lugt nog blauw. Er waren wolken als aardappelpuree en ik denk dat het worstje dat leuk zou hebben gevonden.

Mam zei: 'Instappen', dus stapte ik meteen in de oto en Soph ook en pap ook maar Alice bleef staan. Ik leunde uit het raampje om haar aandagt te trekken maar ze keek niet naar mij. Ze keek naar de gront. De dove jongen stond pal agter haar en hij hielt haar hand vast. Die streelde hij. En dagboek het was heel gek want ineens kwam er leven in haar lippen. De monthoeken bewogen. Steeds meer naar boven gingen ze, en dat bragt me in een verwarring. Ik weet niet waarom hij haar met zijn vingers aan het laggen kon maken als ze niet eens aan haar lippen kwamen maar het was wel fijn dus zwaaide ik om het te vieren met mijn vlag.

Dankwoord

Het duurde een hele tijd voordat dit boek goed was. Ik ben mijn redacteur, Fiona Kennedy, heel dankbaar dat ze me de tijd heeft gegund die ik nodig had, ondanks de deadline. Dank je wel voor je geduld, je begrip, je wijze woorden en je expertise.

Nina Douglas, ook bedankt. Met je magie heb je dit boek ook weer onder de aandacht weten te brengen. Het hele team van Orion is geweldig, en als er voldoende plaats was, zou ik jullie allemaal vermelden. Ik vind het echt een grote bof dat ik mag werken met zulke hartstochtelijke, hardwerkende en kundige mensen. En ook iedereen bij Felicity Bryan hartelijk bedankt. Ik ben heel blij met jullie als literair agent, en het vervult me met trots om te kunnen zeggen dat ik een van Catherine Clarkes auteurs ben.

Heel erg bedankt, mijn schrijfmaatje Liz Kessler, voor al je bemoedigende woorden. Je hebt alles laten vallen om het manuscript te lezen toen ik hard je mening nodig had, en je kwam met geweldige adviezen. Ik sta echt bij je in het krijt. Ik wil ook graag mijn moeder bedanken, Shelagh Leech. Je maakt altijd tijd om mijn schrijfsels te lezen en je bent niet bang om eerlijk te zeggen wat je ervan vindt. Dank jullie wel, jij en mijn vader, omdat jullie er altijd, altijd zijn.

Ik ben mijn familie en vrienden veel verschuldigd voor

hun liefde, hun steun en het geluk dat ze me schenken. Mijn grootste en hartelijkste dank gaat uit naar mijn geweldige man, Steve. Je hebt alle praktische dingen gedaan die ik kan opnoemen: luisteren, doorlezen, goede raad geven, en honderden andere dingen die ik hier niet kan vertellen. Zonder jou was het me niet gelukt.

Annabel Pitcher
West Yorkshire
Juli 2012